Live from RUSSIA!

Second Edition

Authors

Inna A. Hardman, University of Maryland, College Park

Kira S. Gor, University of Maryland, College Park

Series Editor

Dan E. Davidson

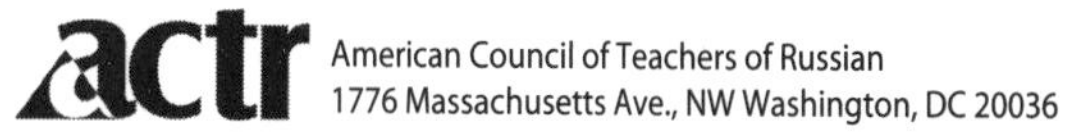

Michael S. Davidson, *Chief Sound Engineer*
Paul E. Davidson, *Audio Editing*
Tat'yana Demetieva, *Audio Recording*
Robert Domorad, *Audio Recording*
William Morse, *Audio Recording*
Andrey Zaitsev, *Audio Recording*
Maria D. Lekić, *Audio Recording and Editor*
Carrie Van Den Broeke, *Principal Technical Editor*

Student Edition: 978-0-7575-5784-2
Special Edition: 978-0-7575-5812-2

Printed in the United States of America
10 9 8 7 6

CONTENTS

TO THE STUDENT

- Each unit is organized according to a nine-day schedule. Each of these days is reflected in both the textbook and workbook exercises. After Day One of each textbook unit, you will have a corresponding Day One homework assignment in the workbook, etc.

- The only exception to the nine-day unit is the introductory unit, which has only five days, both for the textbook and workbook portions.

- Beginning with Unit Two, each workbook unit has a **Warm Up** homework assignment that must be completed on the eve of Day One of each unit. The **Warm Up** assignment introduces important material that is, in some cases, not formally introduced in the textbook; for example, Unit Two — numerals. Do not skip these assignments!

- Day Nine of each unit is a review and preparation for the unit test. There is no written homework assigned for Day Nine.

- Workbook assignments consist of listening and writing exercises for each day. You will need to listen to the CDs to complete the majority of the listening exercises; occasional exercises will require you to watch portions of the *Live from Russia!* Video. The writing assignments are made up of grammar exercises that reinforce the material presented in class.

- Occasional workbook exercises that require you to check your answers and review the correct (intonation, pronunciation) forms as part of the assignment have Answer Keys in the back of the workbook.

- The textbook contains Appendices that present relevant grammatical forms; your workbook exercises will occasionally refer you to these Appendices to help you complete the assignments. Your workbook exercises will also refer to the Analysis sections at the end of each unit in the textbook for discussions of grammatical points.

- Each unit has its own dictionary and there is a comprehensive Stage One Russian-English, English-Russian Vocabulary List at the end of each volume.

- To access the online supplement to this book, please go to:

  http://www.livefromrussia.org

  LOGIN: student
  PASSWORD: student

Name ________________________________

INTRODUCTION DAY 1

Listening

1. Recognizing identical and different pairs of words

You will hear ten pairs of words. Write a "+" if they sound identical and a "-" if they sound different. Do not write what you hear. Listen carefully to the word-initial consonants.

(тут – тут) **1.** +

2.

3.

4.

5.

6.

7.

8.

9.

10.

2. Recognizing initial consonants

Fill in the missing initial consonants in the words below. Check yourself with the answer key at the end of the Workbook, then listen to the recording again and repeat after the speaker.

> Try to pronounce **п, т, к** without aspiration (a puff of air) and make your **б, д, г** fully voiced.

1. дом

2. _______ок

3. _______ар

4. _______арк

5. _______от

6. _______анк

7. _______орт

8. _______ом

9. _______ол

10. _______ам

3. Practicing the pronunciation of а, о, у

Practice pronouncing **а, о, у** in the following words.

парк, банк, кот, рот, нос, мост, сок, суп, торт, дом, тут

Reading

4. What Russian newspapers and magazines are you interested in?

A. Read the titles of Russian newspapers and magazines.

1. газéта «Москóвские Нóвости»
2. газéта «Спорт»
3. «Литератýрная газéта»
4. журнáл «ТВ Парк»
5. газéта «Финанси́ст»
6. газéта «Культýра»

B. Which publications would you read if you were interested in…

1. news from Moscow ______________________
2. finance ______________________
3. sports ______________________
4. literary reviews ______________________
5. TV guide ______________________
6. cultural events ______________________

Name ______________________

Writing

5. Practicing writing Cyrillic letters

Write the syllables and words below in cursive. (In the list below **б** is the only small cursive letter which rises above the center line.)

Аа Бб Гг Дд Зз Кк Лл Мм Нн Оо Пп Рр Сс Тт Уу

аг ______	*га* ______
ба ______	*Аб* ______
Бу ______	*да* ______
ап ______	*оа* ______
ом ______	*ол* ______
дом ______	*Лоб* ______
Ма ______	*ам* ______
мг ______	*гл* ______
Глаз ______	*за* ______
На ______	*он* ______
Ого ______	*ну* ______
рот ______	*Кот* ______
Тон ______	*нос* ______
Сом ______	*пс* ______
Дар ______	*Ур* ______
Ру ______	*ум* ______

6. Letters beginning with a hook

Notice how the letters ending with a hook and beginning with a hook are connected together:

а + м = ам   ма́ма

Copy the following words, writing them in 3 columns corresponding to the categories below:

суп, мост, торт, банк, рот, сок, парк, бар, нос

places in town	food	human body
______________	______________	______________
______________	______________	______________
______________	______________	______________
______________	______________	______________

Name ______________________________

INTRODUCTION DAY 2

Listening

1. Recognizing voiced/voiceless consonants

Listen carefully to the initial voiced or voiceless consonants and circle the word you hear on the CD. Refer to the answer key at the end of the Workbook to check your work, then listen to the recording again and repeat after the speaker.

1. бар – пар
2. вон – фон
3. год – кот
4. дом – том
5. зуб – суп
6. док – ток
7. дом – том
8. жар – шар
9. доска́ – тоска́
10. до́чка - то́чка

2. Recognizing unstressed о

Write the words in cursive as you hear them on the CD. Circle the vowels that are not pronounced the way they are spelled. Then listen to the recording again and repeat after the speaker.

1. окно́ ______________________________
2. ко́смос ______________________________
3. ко́шка ______________________________
4. соба́ка ______________________________
5. молоко́ ______________________________
6. ка́рта ______________________________
7. у́хо ______________________________
8. голова́ ______________________________
9. бана́н ______________________________
10. ла́мпа ______________________________

3. Recognizing the words you hear on the CD

Listen to the list of things that are up for sale at the student government flea market and write at least four electronics items you might like to buy. (You can do it in English).

1. ______________________________
2. ______________________________
3. ______________________________
4. ______________________________
5. ______________________________
6. ______________________________
7. ______________________________

Reading

4. Which section belongs to which publication?

Your friend collects newspaper and magazine clips of interesting articles, and his/her files have all been mixed up. Can you help sort them out?

1. журна́л «Коммерса́нт» a. __________
2. газе́та «Спорт» __________
3. журна́л «ТВ Парк» __________
4. газе́та «Культу́ра» __________

Sections

a. фина́нсы
b. интервью́
c. телепремье́ра
d. и́мпорт
e. поли́тика
f. бюдже́т
g. би́знес + культу́ра
h. хокке́й
i. эконо́мика
j. футбо́л
k. сериа́л «Са́нта Ба́рбара»
l. фильм «Термина́тор»
m. рок-му́зыка

Name ______________________________

INTRODUCTION DAY 3

Listening

1. Recognizing vowels

A. The following vowels will be repeated three times on the CD. Mark the vowel you hear for each of the twelve recitations.

1. а о у е и ы
2. а о у е и ы
3. а о у е и ы
4. а о у е и ы
5. а о у е и ы
6. а о у е и ы
7. а о у е и ы
8. а о у е и ы
9. а о у е и ы
10. а о у е и ы
11. а о у е и ы
12. а о у е и ы

B. Now repeat the pairs of vowels after the speaker. Each pair is repeated three times. Remember to smile while pronouncing **ы**.

а – о   о – у   и – ы   у - ы

2. Recognizing hard and soft consonants

You will hear pairs of syllables with hard and soft consonants. Write a "+" if the sounds you hear are identical and a "—" if they are different.

(на – ня) **1.** —   **7.**
2.   **8.**
3.   **9.**
4.   **10.**
5.   **11.**
6.   **12.**

3. Recognizing soft consonants

Underline the soft consonants in the words below as you listen to the CD. Listen again and repeat after the speaker. Check yourself with the answer key at the end of the Workbook.

1. стадио́н
2. магази́н
3. теа́тр
4. музе́й
5. институ́т
6. такси́
7. гимна́стика
8. гольф
9. студе́нт
10. студе́нтка

Reading

4. Reading names of American movies

A. Read the following list of American movies which were suggested for distribution in Russia.

1. Аполло́ 13
2. Бэ́тмен
3. Вест-Са́йдская исто́рия
4. Дик Трэ́йси
5. Ису́с Христо́с – суперзвезда́
6. Интервью́ с вампи́ром
7. Кни́га джу́нглей
8. Мэ́ри По́ппинс
9. Ю́рский парк
10. Пи́тер Пэн
11. Спа́йдерман 3
12. Ро́бин Гуд
13. Термина́тор
14. Фо́ррест Гамп
15. 101 далмати́нец

B. Classify the above movies into the categories below. Write in the numbers only.

drama	comedy	adventure	musical	cartoon	children's
______	______	______	______	______	______
______	______	______	______	______	______
______	______	______	______	______	______
______	______	______	______	______	______

Name ______________________________

INTRODUCTION DAY 4

Listening

1. Recognizing hard and soft consonants

As you listen to each syllable repeated twice, circle the syllable you hear – hard or soft.

1. ты – ти	**6.** до – дё	**11.** фо – фё	**16.** ну – ню
2. да – дя	**7.** та – тя	**12.** ва – вя	**17.** фэ – фе
3. му – мю	**8.** вы – ви	**13.** то – тё	**18.** са – ся
4. во – вё	**9.** сэ – се	**14.** зы – зи	**19.** тэ – те
5. зу – зю	**10.** пу - пю	**15.** па - пя	**20.** ду - дю

2. Recognizing interrogative and affirmative sentences

You will hear pairs of sentences, statements and yes-no questions. Put a "+" if they are identical (two statements or two questions) and a "—" if they are different (a question and a statement).

— Э́то каранда́ш?
— Э́то каранда́ш.

1. —

2.	**5.**	**8.**
3.	**6.**	**9.**
4.	**7.**	**10.**

3. Recognizing unstressed о

As you listen to the following words, mark stress and underline all the unstressed **о**-s which are pronounced as /*a*/. Pay attention to the rhythm: unstressed /*a*/-s are shorter, and as a result are different in quality than the stressed ones. Repeat after the speaker.

1. са́хар	**6.** окно́
2. ла́мпа	**7.** доска́
3. голова́	**8.** ко́смос
4. ко́шка	**9.** молоко́
5. соба́ка	**10.** у́хо

Reading

4. Loan words

Loan words are words borrowed from one language by another. Russian has borrowed many English words, and English has borrowed words from Russian. Sort out the list of Russian words below according to who borrowed the word from whom.

Russian to English	English to Russian
гла́сность	*джаз*
___	___
___	___
___	___
___	___
___	___
___	___
___	___
___	___
___	___

Reference words: джи́нсы, во́дка, перестро́йка, космона́вт, би́знес, се́рвис, репортёр, самова́р, фи́рма, спу́тник, шо́у, компью́тер, борщ, балала́йка, рок, матрёшка

Writing

5. Practicing writing

Write the following words in cursive:

А́нна ___	*вы* ___
ру́чка ___	*дом* ___
ла́мпы ___	*бана́н* ___
тётя ___	*ты* ___

Name ______________________________

INTRODUCTION DAY 5

Listening

1. Recognizing identical and different syllables

You will hear identical and different pairs of syllables. Write a "+" if they are identical and a "—" if they are different. Three types of syllables are possible:

та – тя - тья
/та/ /тьа/ /тьйа/

(ма – мя) **1.** —

2.

3.

4.

5.

6.

7.

8.

9.

10.

11.

12.

2. Recognizing affirmative and interrogative sentences

Listen to the following short sentences. They are written without punctuation marks. Write a "**.**" if you hear a statement and a "**?**" if you hear a question.

1. Э́то парк.
2. Э́то университе́т
3. Э́то ко́мната
4. Э́то магази́н
5. Э́то каранда́ш
6. Э́то ру́чка
7. Э́то гара́ж
8. Э́то суп
9. Э́то кварти́ра
10. Э́то сок

Statement: IC-1 ➔ falling tone Yes-no question: IC-3 ➔ a "big" jump up.

3. Recognizing names of places

Your friend who lives in the small town of **Пу́шкин** (named after the great Russian poet of the XIXth century) tells you what you can see on the main street. Circle what she names.

1. кафе́/институ́т
2. такси́/теа́тр
3. университе́т/стадио́н
4. институ́т/банк
5. бар/мост
6. музе́й/метро́
7. магази́н/гара́ж
8. аэропо́рт/парк

4. «ТВ Парк»

Here are some ads for the programs and movies shown on different channels of Russian TV from a Russian TV guide «ТВ Парк». As you see, they show a lot of American movies in Russia. Analyze the selection and fill out the chart. Do not worry if you feel you cannot make an informed judgment on all of them.

ТВ Парк	drama	sport	music	cartoon	series
Чайко́вский					
Волше́бная ла́мпа Аллади́на					
Ба́ффи-истреби́тельница вампи́ров					
Дом Рома́новых					
А́нна Каре́нина					
Иису́с Христо́с – суперзвезда́					
У́лицы Сан-Франци́ско					
Дисне́й «Пино́ккио»					
Хокке́й – Чемпиона́т МХЛ					
До́ктор Жива́го					
Джаз, джаз, джаз					
Второ́е рожде́ние Ми́кки Ма́уса					

Name ______________________________

Listening

1. Getting acquainted

Listen to the following short conversations and circle the names you hear. Some of these people don't know anything about each other, and others know each other's names, but have never met before. Listen to the conversations again and check which of them take place between people who don't even know each other's names. Then listen and repeat.

1. — Здра́вствуй. Я И́горь/Ви́ктор.

— А я Ле́ра/Ве́ра.

— О́чень прия́тно.

— О́чень прия́тно.

2. — Здра́вствуйте!

— Здра́вствуйте!

— Вы Ири́на/Мари́на?

— Да.

— А я Анто́н/Семён.

3. — Здра́вствуйте! Я Серге́й/Андре́й.

— Здра́вствуйте! А я Поли́на/Валенти́на.

4. — Здра́вствуй! Ты Ива́н/Русла́н?

— Да. А ты И́нна/Ири́на?

— Да. О́чень прия́тно.

— О́чень прия́тно.

5. — Здра́вствуйте!

— Здра́вствуйте!

— Я Гри́ша/Ми́ша.

— А я Гали́на/Саби́на.

— О́чень прия́тно.

— О́чень прия́тно.

2. Recognizing place names

You will recall from the video that Та́ня and Ке́вин passed many different places in Moscow on their way from the airport. Listen to the following list of different place names and check the ones that Та́ня and Ке́вин saw.

магази́н	кафе́
гара́ж	метро́
музе́й	кинотеа́тр
институ́т	университе́т
парк	бар
банк	гости́ница

Writing

3. Vocabulary practice: making a packing list

You need to pack for your trip to Moscow, but luggage restrictions are tight and you can only take eight things. Write a list of the eight things you cannot do without.

School supplies: ру́чка, каранда́ш, рюкза́к
Clothing: джи́нсы, сви́тер, плащ
Miscellaneous: гита́ра, журна́л, чемода́н, шокола́д, ка́рта, фотоаппара́т, сок, су́мка

1. ____________________
2. ____________________
3. ____________________
4. ____________________
5. ____________________
6. ____________________
7. ____________________
8. ____________________

4. Vocabulary practice: place names

Provide the Russian equivalents for the following English words.

____________________ store

____________________ restaurant

____________________ stadium

____________________ museum

____________________ theater

____________________ movie theater

____________________ hotel

____________________ post office

Name ______________________________

Listening

1. Hard л

Practice your pronunciation of hard /л/. Here are some tips: the front part of the tongue should be curved like a spoon, and the tip of the tongue should be raised and touch the front upper teeth. If your /ы/ is good, you may practice pronouncing /ы/ with the tip of the tongue on the front teeth. This should produce a hard /л/. If you are not sure of your /ы/, begin practicing the hard /л/ with deep back vowels like

Listen and repeat:

ло – ло – ло

ла – ла – ла

лы – лы – лы

лу- лу -лу

ла́мпа	голова́
сло́во	молоко́
слова́рь	журна́л
слон	пожа́луйста
стол	стул

2. Intonation practice

You will hear several short dialogs. Mark the intonation in each by placing the number 1, 2 or 3 over the intonational center (stressed syllable of the most important word) as needed. Once you have marked the intonational centers with a 1, 2 or 3, check your work as you listen to the CD again. Listen and repeat.

IC-1 — statements

IC-2 — questions with a question word

IC-3 — yes/no questions

— Э́то институ́т? (3 over институт)

— Нет. Э́то университе́т. (1 over Нет; 1 over университет)

1. — Э́то метро́?
   — Да. Э́то метро́.
2. — Что э́то?
   — Э́то гости́ница.
3. — Э́то университе́т?
   — Нет. Э́то институ́т.
4. — Э́то дом?
   — Нет. Э́то не дом. Э́то гара́ж.
5. — Что э́то?
   — Э́то кинотеа́тр.
6. — Что э́то?
   — Э́то суп.
7. — Кто э́то?
   — Э́то соба́ка.
8. — Э́то магази́н?
   — Да. Э́то магази́н.
9. — Э́то суп?
   — Нет. Э́то сок.
10. — Кто э́то?
    — Э́то ко́шка.

Writing

3. Expressing plurals

Rewrite the sentences below, transforming the nouns into the plural. Pay attention to the spelling rules! (Refer to Analysis Unit I, 5, 6.)

Э́то музе́й. — Э́то музе́и.

Name ____________________

1. Э́то кни́га. ____________________
2. Э́то сок. ____________________
3. Э́то су́мка. ____________________
4. Э́то гара́ж. ____________________
5. Э́то каранда́ш. ____________________
6. Э́то ру́чка. ____________________
7. Э́то парк. ____________________
8. Э́то ка́рта. ____________________
9. Э́то ла́мпа. ____________________
10. Э́то магази́н. ____________________
11. Э́то маши́на. ____________________
12. Э́то университе́т. ____________________
13. Э́то гости́ница. ____________________
14. Э́то письмо́. ____________________
15. Э́то стол. ____________________
16. Э́то окно́. ____________________
17. Э́то слова́рь. ____________________
18. Э́то тётя. ____________________

4. Кто э́то? Что э́то?

Imagine, you were meeting Ке́вин at the airport. He asks you questions, and you point out places, people, etc. to him. Write down Ке́вин's questions.

— Что э́то?	— Кто э́то?
— Э́то дом.	— Э́то Та́ня.

1. — Кто э́то?

— Э́то соба́ка.

2. — Что э́то?

— Э́то гости́ница.

3. — Что э́то?

— Э́то рестора́н.

4. — Кто э́то?

— Э́то ко́шка.

5. — Что э́то?

— Э́то гара́ж.

6. — Кто э́то?

— Э́то Серге́й.

7. — Что э́то?

— Э́то кинотеа́тр.

8. — Что э́то?

— Э́то по́чта.

Name ______________________________

Listening

1. Cardinal numerals

Listen to the numbers from 1 to 10 several times.

1. Listen to the numbers without looking at the page.
2. Cover the right part of the page and look at the phonetic transcription on the left as you listen to the CD.
3. Compare the phonetic translation with the spelling of the words. Mark the numbers whose spelling differs from their actual pronunciation, as indicated by the phonetic transcription.
4. Listen and repeat.

1.	/ад^{ь}и́н /	оди́н
2.	/два/	два
3.	/тр^{ь}и/	три
4.	/читы́р^{ь}и/	четы́ре
5.	/п^{ь}ат^{ь}/	пять
6.	/шэст^{ь}/	шесть
7.	/с^{ь}ем^{ь}/	семь
8.	/во́с^{ь}им^{ь}/	во́семь
9.	/д^{ь}е́в^{ь}ит^{ь}/	де́вять
10.	/д^{ь}е́с^{ь}ит^{ь}/	де́сять

2. Using the telephone

Listen to the following phone conversations and circle the name of the location you hear on the CD. Listen and repeat.

1. — Алло́! Э́то институ́т/гара́ж?

— Нет, э́то не институ́т/гара́ж.

2. — Алло́! Э́то гости́ница/библиоте́ка?

— Нет, э́то не гости́ница/библиоте́ка.

— Извини́те.

— Пожа́луйста.

> Note how the questioner acknowledges the wrong number.

3. — Алло́! Э́то рестора́н/магази́н?
   — Нет, э́то не рестора́н/магази́н.
   — Извини́те.
   — Пожа́луйста.

4. — Алло́! Э́то банк/парк?
   — Нет, э́то не банк/парк.
   — Извини́те.
   — Пожа́луйста.

3. Telephone numbers

Listen to the phone numbers of the following locations and write them down.

1. магази́н «О́вощи-фру́кты» ______________________
2. рестора́н «Самова́р» ______________________
3. библиоте́ка ______________________
4. кинотеа́тр «Ко́смос» ______________________
5. стадио́н ______________________

Writing

4. Expressing possession

Using the model as a guide, fill in the blanks with the appropriate possessive pronouns. Make sure the possessive pronoun agrees in gender with the noun it modifies, not the gender of the possessor. (Refer to Analysis Unit I, 9.)

я:	Э́то <u>моя́</u> соба́ка.

1. мы: Э́то на́ша наша кварти́ра.
2. ты: Э́то твой твой чемода́н.
3. вы: Э́то ва́ше ваше письмо́.
4. мы: Э́то на́ша наша маши́на.
5. ты: Э́то твой твой каранда́ш.

Name ____________________

6. я: Э́то мой друг.

7. вы: Э́то ваш бага́ж.

8. мы: Э́то на́ше окно́.

9. я: Э́то мой телефо́н.

10. ты: Э́то твой рюкза́к.

11. мы: Э́то на́ша кни́га.

12. вы: Э́то ваш дом.

13. я: Э́то моя́ ко́шка.

14. ты: Э́то твоя́ су́мка.

5. Finding your belongings

You let your friend stay at your place while you were away, and when you got back, you could not find some of your things. Ask your friend where they are.

Где мой слова́рь?

1. Где мой рюкзак?
2. Где моя книга?
3. Где моя куртка?
4. Где моя карта?
5. Где мои журналы?
6. Где моя собака?
7. Где моя кошка?
8. Где мой стол?
9. Где мои джинсы?
10. Где моя кровать?

Reference words: pen, book, backpack, bag, jacket, magazines, pencil, dictionary, jeans, map

6. Translation

When you and your friends arrive in Moscow you realize that you are the only American in your group who speaks Russian. You have to act as an interpreter for your friend Nick. Translate for him, filling in the blanks on the right.

1.	Ник:	Hello!	Здра́вствуйте!
	Ни́на:	Здра́вствуйте!	Hello!
		Are you Nina?	Вы нина?
	Ни́на:	Да. А вы Ник?	Yes. And you're Nick?
	Ник:	Yes, I am.	Да
		Nice to meet you.	Очень приятно
	Ни́на:	О́чень прия́тно	Nice to meet you.
2.	Ник:	What is that?	Что э́то?
	Ни́на:	Э́то магази́н.	It's a store.
	Ник:	Is that a restaurant?	Что ресторане?
	Ни́на:	Нет, э́то кафе́.	No, it's a café.
3.	Ник:	Is that a bank?	Что банк?
	Ни́на:	Да, банк.	Yes, it's a bank.
4.	Ник:	Where's the hotel?	Где отель?
	Ни́на:	Вон там.	Over there.

Name ___________________________

Listening

1. Identifying luggage at the "Lost and Found"

Listen to the conversations in the "Lost and Found" at the airport. Mark the intonation by placing the number 1 or 3 over the intonational center (stressed syllable of the most important word) for each line. Listen and repeat. (refer to Analysis Unit I, 11).

1. — Э́то ва́ши ве́щи? (3 over ва́ши)
   — Да, мои́. (1 over Да, 1 over мои́)
2. — Э́то ва́ша су́мка?
   — Нет, не моя́.
3. — Э́то ваш рюкза́к?
   — Нет, не мой.
4. — Э́то ваш слова́рь?
   — Да, мой.
5. — Э́то ва́ша ку́ртка?
   — Нет, не моя́.
6. — Э́то ваш чемода́н?
   — Да, мой.
7. — Э́то ваш фотоаппара́т?
   — Нет, не мой.
8. — Э́то ваш бага́ж?
   — Да, мой.

2. Identifying ownership

You are camping with a group of friends. You all put your food supplies in one place and are now sorting them out. This is a bit difficult since you all brought similar things. Listen to the questions and answer them in Russian. Practice reading out loud – don't be afraid to exaggerate the intonational centers.

1. — Э́то ва́ши су́мки?
   — Нет, не на́ши.

2. — Э́то твой чай?

— Да, мой.

3. — Э́то ваш хлеб?

— ______________________________.

4. — Э́то твой сыр?

— ______________________________.

5. — Э́то твой сок?

— ______________________________.

6. — Э́то твои́ бана́ны?

— ______________________________.

7. — Э́то твоё молоко́?

— ______________________________.

8. — Э́то ваш суп?

— ______________________________.

Writing

3. Numbers

Answer each item on the questionnaire in Russian. Write out the numbers (**оди́н, пять,** etc.) in words. (Refer to Appendix IV at the end of the Textbook.)

1. How many people are there in your family?	
2. How old were you when you started school?	
3. How many times a week do you watch TV?	
4. How many hours do you sleep at night?	
5. How many times a day do you eat?	
6. How many times per month do you clean your room/apartment?	

Name ______________________________

Listening

1. Determining what someone is asking in IC-3 questions.

You are showing your family pictures to your Russian friend. He asks you questions.

A. Listen to the following questions and mark the intonational center you hear.

1.	Э́то твоя́ сестра? (3 above сестра)	Да, моя́. / Да, сестра. (1 above Да, 1 above сестра)
2.	Э́то твоя́ маши́на?	Да, моя́. / Да, маши́на.
3.	Э́то твоя́ ко́мната?	Нет, не моя́. / Нет, не ко́мната.
4.	Э́то твой брат?	Нет, не мой./Нет, не брат.
5.	Э́то твой па́па?	Да, мой. / Да, па́па.
6.	Э́то твоя́ подру́га?	Да, моя́. / Да, подру́га.
7.	Э́то твоя́ ма́ма?	Нет, не моя́. / Нет, не ма́ма.
8.	Э́то твой друг?	Нет, не мой. / Нет, не друг.
9.	Э́то ва́ша соба́ка?	Да, на́ша. / Да, соба́ка.
10.	Э́то ваш дом?	Да, ваш. / Да, дом.
11.	Э́то ваш го́род?	Да, наш. / Да, го́род
12.	Э́то ва́ши ве́щи?	Да, на́ши. / Да, ве́щи.

B. The answer to a question always depends on what people are asking. In Russian, this is reflected by the intonational center of the question. Therefore, the answer to the question:

3
Э́то твоя́ сестра?

is:
1 1
Да, сестра.

or:
1 1
Нет, не сестра.

The answer to the question:

3
Э́то твоя сестра́?

is:
1 1
Да, моя.

or:
1 1
Нет, не моя.

Listen to the list of questions again and circle the appropriate answers.

C. Listen once more and read the answers you circled out loud.

2. Getting/giving directions

A. Listen to the conversations below and circle the names of the places in each question and response, as you hear them.

1. A. — Извини́те, э́то магази́н/кинотеа́тр?
B. — Нет, э́то магази́н/кинотеа́тр.
A. — А где магази́н/кинотеа́тр?
B. — Магази́н/кинотеа́тр вон там.
A. — Спаси́бо.
B. — Пожа́луйста.

2. A. — Извини́те, э́то теа́тр/музе́й?
B. — Нет, э́то теа́тр/музе́й.
A. — А где теа́тр/музе́й?
B. — Теа́тр/музе́й вон там.
A. — Спаси́бо.
B. — Пожа́луйста.

3. A. — Извини́те, э́то гости́ница/по́чта?
B. — Нет, э́то гости́ница/по́чта.
A. — А где гости́ница/по́чта?
B. — Гости́ница/по́чта вон там.
A. — Спаси́бо.
B. — Пожа́луйста.

4. A. — Извини́те, э́то шко́ла/библиоте́ка?
B. — Нет, э́то шко́ла/библиоте́ка.
A. — А где шко́ла/библиоте́ка?
B. — Шко́ла/библиоте́ка вон там.
A. — Спаси́бо.
B. — Пожа́луйста.

B. Listen to the dialogs and repeat only what "A" says.

C. Listen to the dialogs and repeat only what "B" says.

Name ______________________________

Listening

1. Hard and soft л

Listen to the pairs of syllables with hard /л/ and soft /ль/. Write in a "+" if the sounds you hear are identical and a "—" if they are different.

(ла-ла) **1.** +

(ла-ля) **2.** —

3.

4.

5.

6.

7.

8.

9.

10.

11.

12.

13.

Writing

2. Translation: asking for directions

You are in Moscow with an American friend who doesn't speak Russian. Act as interpreter for him/her as s/he attempts to locate a library and a museum.

1. — Excuse me, is this the library?

— ______________________________?

— Библиоте́ка? Нет, э́то институ́т.

— Library? No, this is the institute.

— And where is the library?

— ______________________________?

— Вон там.

— Over there.

— Thank you.

— ____.

— Пожáлуйста.

— You're welcome.

2. — Excuse me, where is the museum?

— ____?

— Музéй? Вон там.

— The museum? Over there.

— Thank you.

— ____.

— Пожáлуйста.

— You're welcome.

3. Showing someone around your hometown

You are walking down the street in your home town and meet a group of Russian tourists who do not speak English. (Aren't they lucky to have found you!) Help them locate different places in the area.

A. Using any of the following models, show the tourists 5 places in town. Please vary your sentences.

Э́то наш центр.
Вот наш центр.
Тут наш центр.
Там наш центр.

1. ____

2. ____

Name ________________________________

3. ________________________________

4. ________________________________

5. ________________________________

Reference words:

stores, museum, library, restaurants, park, bank, café, theater, post office, movie theater, hospital, hotel

B. The Russian tourists are not used to American architecture and mistake one place for another. Correct their mistakes.

> — Э́то магази́н? (кафе́) –
> — Нет, э́то не магази́н. Э́то кафе́.

1. Извини́те, э́то банк? (теа́тр)

____

2. А э́то гости́ница? (магази́н)

____

3. Э́то музе́й? (рестора́н)

____

4. А э́то кинотеа́тр? (гости́ница)

____

5. Извини́те, э́то библиоте́ка? (институ́т)

____

6. Э́то теа́тр? (банк)

____

Name Taylor Bridgewood

Listening

1. Dictation

The dictation will be read three times. After you have written the sentences down, mark the intonation by placing the number 1, 2 or 3 over the intonational center.

1. ____________________
   ____

2. ____________________
   ____
   ____
   ____

Writing

2. Expressing plurals

Change the following nouns and their corresponding possessive pronouns from singular to plural. Pay attention to the spelling rules! (Refer to Analysis Unit I, 5, 6, 13)

1. моя́ маши́на — мой маши́ны
2. на́ша газе́та — на́ши газеты
3. твой рестора́н — твой рестораы
4. ваш костю́м — ваши костюмы
5. на́ша ко́шка — на́ши кошки
6. твоя́ соба́ка — твой соба́ки
7. мой рюкза́к — мой рюкза́ки
8. моё окно́ — мой окна

9. ва́ша су́мка ваши сумки

10. ва́ша подру́га ваши подруги

11. ваш па́па ваши папы

12. мой каранда́ш мой карандаши

13. ваш нос ваши носы

14. твой институ́т твой институты

15. наш университе́т наши университеты

16. твой чемода́н твой чемоданы

17. мой слова́рь мой словары

18. ва́ше письмо́ ваши письма

3. Translation

Your friend wants to send a photo album of his family and friends to his new Russian friend. He wrote an accompanying note in English. Can you help translate it into Russian?

Dear Boris[1],

These are my photos. This is my mother and my father. My mother is a journalist. My father is a teacher. Here is my brother Sam. He is a high school student. Here are my friends, Susan and Sara. They are students. This is my dog Spot. This is my cat Fifi. Here is our house.

Sincerely,
Bob

Здравствуй Борис!

Это мои фотографии. Это моя мама и мой папа. Моя мама журналист. Мой папа учитель. Вот мой брат Сэм. Он школьник. Вот мои друзья, Сьюзен и Сара.

[1] Russians usually place the salutation in the middle of the line. The salutation is followed by an exclamation mark.

Name ______________________________

Listening

1. Talking about professions/occupations

Listen to the introductions of three families who are finalists in an amateur contest for family singing groups. Fill out their relationships to each other and their occupations. Listen to the recording as many times as you need in order to find all the necessary information.

Name	Relationship	Profession/occupation
Оле́г	*муж*	*инжене́р*
Татья́на		
О́льга		
Алекса́ндр		
Ната́ша		
Серге́й		
Па́вел		
Еле́на		
Дми́трий		
Мари́на		
Алекса́ндра		
Евге́ний		

2. Asking shorter and longer yes-no questions

A. Practice asking shorter and longer yes-no questions. Fill in the missing words as you hear them on the CD. Listen and repeat. Note that the purpose of all the questions is to find out **who** all these things belong to; this is reflected in the intonational centers.

3 3 3

Э́то ваш чемода́н? Ваш чемода́н? Ваш?

3 3 3

1. Э́то ваша ________? Ваша ________? Ваша?
2. Э́то твой ________? Твой ________? Твой?
3. Э́то на́ши ________? На́ши ________? На́ши?
4. Э́то мой ________? Мой ________? Мой?
5. Э́то твоя́ ________? Твоя́ ________? Твоя́?
6. Э́то ва́ши ________? Ва́ши ________? Ва́ши?
7. Э́то на́ша ________? На́ша ________? На́ша?
8. Э́то твои́ ________? Твои́ ________? Твои́?

B. The purpose of the yes-no questions below is to find out about **somebody's belongings, relatives, etc.** Fill in the missing words. Listen and repeat.

3 3 3

Э́то твоя́ сестра? Твоя́ сестра? Сестра?

3 3 3

1. Э́то твоя́ ________? Твоя́ ________? ________?

3 3 3

2. Э́то твой ________? Твой ________? ________?

3 3 3

3. Э́то твоя́ ________? Твоя́ ________? ________?

3 3 3

4. Э́то твой ________? Твой ________? ________?

3 3 3

5. Э́то твой ________? Твой ________? ________?

Writing

3. Talking about professions/occupations

Pretend that you are Ке́вин. Tell Та́ня about yourself, your family and your friends. (Refer to Analysis Unit I, 14.)

Name ______________________________

Listening

1. Room names

Tomorrow we will see Ке́вин's new apartment for the first time. Let's prepare for this episode by learning room names. Listen and repeat.

ва́нная	bathroom
гости́ная	living room
ку́хня	kitchen
спа́льня	bedroom
столо́вая	dining room
туале́т	half-bath

Writing

2. Ваш дом

Try drawing a floor plan of your own house/apartment in Russian.

A typical Russian apartment is much smaller than an average American apartment. Often one room will function as a спáльня, гости́ная, and столóвая. Because of this it can be difficult to "name" rooms in a Russian apartment.

For your reference, here is a drawing of the apartment that you will see tomorrow:

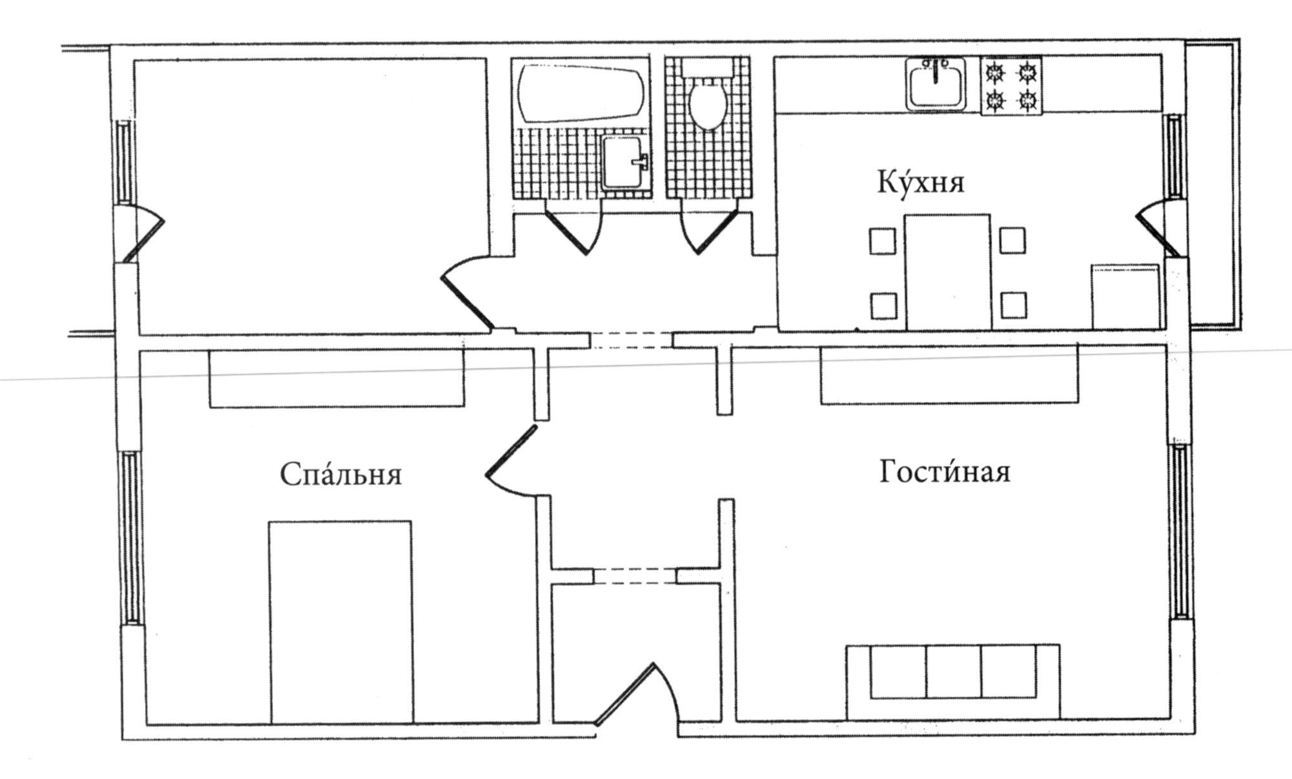

Before you go to the next class, skim through the questions in the textbook for Unit 2, Day 1 to get a general idea of what will happen in the next episode of the video.

Name ___________________________

Listening

1. Showing someone around your home

A. You are people-watching at a housewarming party in a Russian home. Listen to the following conversations and circle the word you hear.

1. — Вот на́ша ко́мната/кварти́ра.

— Интере́сно! А где твоя́ ко́мната/кварти́ра?

2. — Тут ку́хня/спа́льня. А там столо́вая/спа́льня.

— А где ку́хня/ва́нная?

— Вон там.

3. — Тут о́чень хорошо́!

— Вот на́ша столо́вая/гости́ная.

— Краси́во!

— Да, по-мо́ему, тут непло́хо.

4. — Скажи́те, пожа́луйста, а где здесь туале́т/ку́хня?

— Туале́т/ку́хня вон там. А тут ва́нная/спа́льня.

— Спаси́бо.

5. — Вот моя́ ко́мната/гости́ная.

— Краси́во!

— А э́то на́ша ко́мната/гости́ная.

— Э́то ва́ши фотогра́фии?

— Да, мои́.

6. — Извини́те, э́то спа́льня/ва́нная?

— Нет, э́то не спа́льня/ва́нная.

— А что э́то?

— Э́то туале́т/ку́хня.

— А где спа́льня/ва́нная?

— Она́ вон там.

— Спаси́бо!

B. Listen to the conversations again and mark the intonation. Remember that exclamations are pronounced with IC-2:

2
Интересно!

C. Listen and repeat. Try to imitate the intonation.

Writing

2. New vocabulary

A. Match the following Russian and English words. If you are not sure what the word's meaning is, look it up in the vocabulary list at the end of the Unit.

таре́лка	plate	ва́нная	knife
ку́хня	spoon	телеви́зор	stove
ча́шка	dining room	сыр	refrigerator
помидо́р	bread	холоди́льник	cheese
хлеб	salami, sausage	бана́н	half-bath
столо́вая	bedroom	туале́т	sandwich
апельси́н	cup	плита́	television set
ма́сло	butter	бутербро́д	banana
гости́ная	orange	ви́лка	bathroom
ло́жка	kitchen	нож	teapot
спа́льня	living room	телефо́н	fork
колбаса́	tomato	ча́йник	telephone

B. Sort the above words into categories.

food	rooms in an apartment	dishes and flatware	electronics	appliances
бана́н	ва́нная	ви́лка	телефо́н	холоди́льник

Name ___________________________________

Listening

1. Prepositional phrases: unstressed е

Listen to the following prepositional phrases. Write the phonetic transcription of all the underlined endings. Remember that the **unstressed е** is pronounced as /и/. (Refer to Analysis Unit I, 15 B.) Listen and repeat.

1. в Москвé /е/
2. в дóме /и/
3. в магази́не ___
4. в гóроде ___
5. в кварти́ре ___
6. в словарé ___
7. в институ́те ___
8. в библиотéке ___

2. Prepositional phrases: devoicing of the preposition в

Listen to the following prepositional phrases. Circle the correct phonetic transcription of the preposition **в** (/в/ or /ф/). Your selection will be determined by the first consonant of the noun.

Remember that the last consonant in a consonant cluster formed by the preposition and a noun determines the voicing for the whole cluster. (Refer to Analysis Unit I, 15 B.)

voiced + voiceless = voiceless	**в с**ловарé	/**фс**лавар^{ь}é/
voiceless + voiceless = voiceless	**ст**ол	/**ст**ол/
voiceless + voiced = voiced	рю**кз**áк	/р^{ь}у**гз**áк/
voiced + voiced = voiced	**в б**áнке	/**вб**áнк^{ь}и/

1. в /в/ /ф/ магази́не
2. в /в/ /ф/ шкóле
3. в /в/ /ф/ теáтре
4. в /в/ /ф/ кинó
5. в /в/ /ф/ музéе
6. в /в/ /ф/ гости́нице
7. в /в/ /ф/ больни́це
8. в /в/ /ф/ пáрке
9. в /в/ /ф/ кóмнате
10. в /в/ /ф/ кварти́ре

Writing

3. Expressing location

Answer the following questions with the appropriate preposition: **в** or **на**. (Refer to Analysis Unit II , 12-14.)

> — Где Да́ша? (магази́н) ➔
> — Она́ в магази́не.

1. — Где твой брат? (шко́ла) — она в школе
2. — Где Серге́й? (гара́ж) — она в гараже
3. — Где твои́ роди́тели? (да́ча) — она на даче
4. — Где твоя́ сестра́? (стадио́н) — она на стадионе
5. — Где моя́ кни́га? (су́мка) — она в сумке
6. — Где мои́ журна́лы? (рюкза́к) — она в рюкзаке
7. — Где Та́ня? (университе́т) — она в университете
8. — Где Ке́вин? (рабо́та) — она на работе
9. — Где моё письмо́? (стол) — она на столе
10. — Где на́ши ве́щи? (ко́мната) — она в комнате
11. — Где мой бана́н? (ку́хня) — она на кухне
12. — Где твоя́ подру́га? (бар) — она в баре

4. Verb conjugation

A. Write out the full conjugation for the verb жить (жив-). (Refer to Analysis Unit II, 3, 7, 8.)

Present Tense	Past Tense
я живю	он ________
ты живешь	она́ ________
он, она́ ________	оно́ ________

Name ______________________________

Listening

1. Recognizing parallel vs. contrasting answers

Listen to the following short conversations and circle the answers. Listen a second time and mark the intonation. Pay special attention to the intonation in short questions beginning with **А:** «А ты?» (that's IC-4).

1. — Я мно́го гуля́ю. А ты?

— И я./ А я нет.

2. — Она́ ма́ло рабо́тает. А вы?

— И мы./ А мы нет.

3. — Они́ мно́го чита́ют. А ты?

— И я./ А я нет.

4. — Вы ма́ло отдыха́ете. А она́?

— И она́./ А она́ нет.

5. — Мы мно́го рабо́таем. А они́?

— И они́./ А они́ нет.

6. — Я мно́го рабо́таю. А вы?

— И мы./ А мы нет.

7. — Ты ма́ло отдыха́ешь. А они́?

— И они́./ А они́ нет.

8. — Вы ма́ло чита́ете. А он?

— И он./ А он нет.

2. Talking about yourself

Listen to the following questions and fill in the missing personal pronouns. Answer the questions. Remember that a positive answer begins with **И:** И я. = "Me too/So do I."

A negative answer begins with **А:** А я нет. = "And I don't"

> — У́тром я рабо́таю. А ты?
> — И я.
>
> — Ве́чером мы рабо́таем. А вы?
> — А мы нет.

1. — Днём ____________ отдыха́ют. А ты?

— ______________________________

2. — У́тром ____________ гуля́ю. А ты?

— ______________________________

3. — Днём ____________ рабо́таем. А ты?

— ______________________________

4. — Ве́чером ____________ чита́ю. А ты?

— ______________________________

5. — Ве́чером ____________ гуля́ем. А ты?

— ______________________________

6. — Днём ____________ гуля́ют. А ты?

— ______________________________

Writing

3. Verb practice: рабо́тать (рабо́тай-):

Fill in the appropriate form of the verb рабо́тать (рабо́т**ай**-). (Refer to Analysis Unit II, 3, 9.)

1. Я врач. Я говорю______________ в больни́це.

2. Ты преподава́тельница? Ты говори́шь______________ в университе́те?

Name ____________________

3. Он ме́неджер. Он говорит на стадио́не.

4. Она́ актри́са. Она́ говорит в теа́тре.

5. Мы журнали́сты. Мы говорим в газе́те.

6. Вы писа́тельница? Вы говорите до́ма?

7. Они́ официа́нты. Они́ говоря́т в рестора́не.

4. Вы и ва́ша семья́

Write one sentence each about yourself and four other people (family or friends). Where do you/they live and work? Where do you/they relax?

Я живу в Канаде.

Мой брат живет в новой Зеландии.

моя мама работает в офисе.

мой парень не работает.

5. Talking about yourself, your family and your friends

A. Complete the following statements about you, your family members, and friends using the provided verbs for each statement. Do not forget to make the verb agree with the subject by choosing the appropriate ending. All verbs should be in the present tense.

work rest read walk

рабо́тать (рабо́т**ай**-); отдыха́ть (отдых**а́й**-); чита́ть (чит**а́й**-); гуля́ть (гул**я́й**-)

Я мно́го гуляю.

Я ма́ло отдыхаю.

Я не читаю.

Мой брат/моя́ сестра́ мно́го работает.

Мой брат/моя́ сестра́ не читает.

Мой друг/моя́ подру́га мно́го работает.

Мой друг/моя́ подру́га ма́ло гуляет.

Мой друг/моя́ подру́га не отдыхает.

Мои́ роди́тели мно́го гуляет.

Мои́ роди́тели ма́ло читает.

Мои́ роди́тели не читает.

B. Complete the following statements using the same verbs in the past tense this time.

Вчера́ я гуляла.

Вчера́ мой друг не работал.

Вчера́ моя́ подру́га читала.

Вчера́ мои́ роди́тели работали.

Name ___________________________

Listening

1. Recognizing place names

A. You are standing on a busy Moscow street and people are asking for directions. Listen to their conversations and fill in the missing names of places, where appropriate.

1. — Вы не зна́ете, где тут ______________________?
— Я не зна́ю. Я здесь не живу́.
— Извини́те.
— Пожа́луйста.

2. — Вы не зна́ете, где тут ______________________?
— Я не зна́ю. Я здесь не живу́.
— Извини́те.
— Пожа́луйста.

3. — Скажи́те, пожа́луйста, где здесь ______________________?
— Я не зна́ю. Я здесь не живу́.
— Извини́те.
— Пожа́луйста.

4. — Скажи́те, пожа́луйста, где здесь ______________________?
— Я не зна́ю. Я здесь не живу́.
— Извини́те.
— Пожа́луйста.

5. — Изви́ните, где тут ______________________?
— Я не зна́ю. Я здесь не живу́.
— Извини́те.
— Пожа́луйста.

B. Listen again and repeat. Pay attention to intonation.

2. Using the prepositional case

Listen to the following phone conversations. Fill in the missing words.

1. — Алло́!

— Здра́вствуйте! А Ви́ктор до́ма?

— Нет, он в ______________________________.

— Извини́те.

— Пожа́луйста.

2. — Алло́!

— Здра́вствуйте. Э́то Ле́на. А Ве́ра до́ма?

— Нет, она́ в ______________________________.

— Спаси́бо. До свида́ния.

— До свида́ния.

3. — Алло́!

— Здра́вствуйте. Э́то Ната́ша. А Мари́на до́ма?

— Нет, она́ на ______________________________.

— Спаси́бо.

— Пожа́луйста.

4. — Алло́!

— Здра́вствуй, И́ра. Э́то Макси́м. А Серге́й до́ма?

— Нет, он на ______________________________.

— Спаси́бо. До свида́ния.

— До свида́ния.

Writing

3. Expressing possession

Your Russian friend is showing you the family photo albums. Fill in the missing words. Remember that **его́, её, их** never change for agreement. (Refer to Analysis Unit II, 10, 11.)

A.

Э́то мой преподава́тель. А э́то его́ уче́бник.

Name ______________________________

1. Э́то моя́ до́чка. А э́то ______________ ко́шка.

2. Э́то мои́ роди́тели. А э́то ______________ да́ча.

3. Э́то мой брат. А э́то ______________ ко́мната.

4. Э́то мой друг. А э́то ______________ гара́ж.

5. Э́то моя́ сестра́. А э́то ______________ дом.

6. Э́то моя́ подру́га. А э́то ______________ роди́тели.

B.

> — Э́то моя́ соба́ка.
> — А чья э́то соба́ка?
> — Э́то её соба́ка.

1. — Э́то мои́ роди́тели.

   — А чья э́то маши́на?

   — Э́то ______________ маши́на.

2. — Э́то мой брат.

   — ______________ э́то дом?

   — Э́то ______________ дом.

3. — Э́то моя́ подру́га.

   — ______________ роди́тели?

   — Э́то ______________ роди́тели.

4. — Э́то мой друг.

   — ______________ ко́мната?

   — Э́то ______________ ко́мната.

5. — А э́то мой друг Андре́й и моя́ подру́га Светла́на.

   — ______________ э́то да́ча?

   — Э́то ______________ да́ча.

4. Verb conjugation

Give the full conjugation for the following verbs. (Refer to Analysis Unit II, 3, 7, 9.)

гуля́ть (гуля́й-)

Present Tense		Past Tense	
я	гуля́ю	он	гуля́л
ты	гуля́ешь	она́	гуля́ла
он, она́	гуля́ет	оно́	гуля́ло
мы	гуля́ем	они́	гуля́ли
вы	гуля́ете	**Infinitive**	
они́	гуля́ют		гуля́ть

отдыха́ть (отдыха́й-)

Present Tense		Past Tense	
я	отдыха́ю	он	отдыхал
ты	отдыха́ешь	она́	отдыхала
он, она́	отдыха́ет	оно́	отдыхало
мы	отдыха́ем	они́	отдыхали
вы	отдыха́ете	**Infinitive**	
они́	отдыха́ют		отдыхать

5. Showing someone around the house

Your family has decided to host an exchange student from Russia. When she arrives, you show her around your home. Write down and rehearse your description of your home. Here are some words you might include. Add as much as you can. (Refer to Analysis Unit I, 9.)

Вот	столо́вая	кни́ги	ла́мпа	хорошо́
Тут	ко́мната	словари́	дива́н	краси́во
Там	ку́хня	ве́щи	стол	непло́хо

Name ______________________________

Вот наш дом/на́ша кварти́ра.

____

____

____

____

____

____

____

По-мо́ему, тут ____.

Name ______________________________

Listening

1. Determining the place of the intonational center

You are at a meeting of international students and faculty members at Moscow State University. Listen to their conversations and mark the intonation you hear (stressed syllable of the most important word). The place of the intonational center in questions is determined by the point of focus of the question. The key to the location of the question's intonational center is the short answers provided.

— Та́ня говори́т^{3} по-англи́йски?
(Does she speak English (or not?)
— Да, говори́т.

— Та́ня говори́т по-англи́йски^{3}?
(Does she speak English (or another language?)
— Нет, по-ру́сски.

1. — Вы говори́те по-англи́йски?

— Да, говорю́.

2. — Ты говори́шь по-япо́нски?

— Да, по-япо́нски.

3. — Ваш друг говори́т по-францу́зски?

— Нет, по-испа́нски.

4. — Ты говори́шь по-неме́цки?

— Нет, не говорю́.

5. — Твои́ друзья́ говоря́т по-ру́сски?

— Да, говоря́т.

6. — Вы говори́те по-япо́нски?

   — Да, говорю́.

7. — Ты говори́шь по-испа́нски?

   — Нет, по-францу́зски.

8. — Твоя́ подру́га говори́т по-ру́сски?

   — Нет, не говори́т.

Writing

2. Where do you eat your meals?

Provide answers to the following questions. Give as many details as you can, stating if you eat your meals at home, at the university, etc., always, rarely or often.

1. Где вы за́втракаете?

   ____

   ____

   ____

2. Где вы обе́даете?

   ____

   ____

   ____

3. Где вы у́жинаете?

   ____

   ____

   ____

Name ____________________

3. Which language(s) do you speak, understand and read?

Write about yourself and two other people you know.

> Я пло́хо говорю́ по-неме́цки.
> Моя́ подру́га хорошо́ понима́ет по-япо́нски.

____

____

____

____

4. Verb conjugation

A. Provide the full conjugation for the verb говори́ть (говор**и́**-). (Refer to Analysis Unit II, 4, 6.)

Present Tense		Past Tense	
я	говорю	он	говори́л
ты	говори́шь	она́	говори́ла
он, она́	говори́т	оно́	говори́ло
мы	говори́м	они́	говори́ли
вы	говори́те	Infinitive	
они́	говоря́т		говори́ть

B. Fill in the blanks with the appropriate form of говори́ть (говор**и́**-).

1. — Твои́ роди́тели говоря́т до́ма по-ру́сски?

— Нет, они́ говоря́т по-неме́цки.

2. — Ты говори́шь по-япо́нски?

— Я не говорю, а моя́ ма́ма хорошо́ говори́т и чита́ет по-япо́нски.

3. — Извини́те, вы говори́те по-ру́сски?

— Нет, мы говори́м по-украи́нски.

5. Writing a short biography

Imagine that you have decided to apply to Moscow State University to study Russian for a semester-long study abroad program. Your biography is part of the standard application package. Write about yourself and your family.

Я ______________________________

(your name)

Мои́ роди́тели ______________________________

(where they live)

Мой па́па ______________________________

(where he lives, if at a separate address)

Моя́ ма́ма ______________________________

(where she lives, if at a separate address)

Ра́ньше ______________________________

(where they lived before)

Мой па́па ______________________________

(where he works)

Он ______________________________

(what he does)

Моя́ ма́ма ______________________________

(where she works)

Она́ ______________________________

(what she does)

Name ______________________________

UNIT 2 DAY 7

Listening

1. Identifying the intonational center of the sentence

A. Mark the intonation as you listen to the questions.

> — Та́ня живёт в Ростове[3] и́ли в Москве[2]?
>
> — В Москве[1].

1. Вы живёте в до́ме и́ли в кварти́ре?

____

2. Вы вчера́ рабо́тали и́ли отдыха́ли?

____

3. Ле́том вы рабо́таете и́ли отдыха́ете?

____

4. Вы говори́те по-неме́цки и́ли по-ру́сски?

____

5. Вы у́жинаете до́ма и́ли в рестора́не?

____

B. Listen and repeat the questions aloud.

C. Write down a short answer for each question.

D. Listen to the questions one last time, reading your answers out loud.

Writing

2. Expressing location

Make sure you choose the right preposition, **в** or **на**, as you answer the following questions. (Refer to Appendix II at the end of the Textbook.)

— Где фру́кты?
— Они́ на столе́.

1. Где ча́шка?

   ____

2. Где нож?

   ____

3. Где таре́лка?

   ____

4. Где помидо́ры?

   ____

5. Где ма́сло?

   ____

6. Где мой каранда́ш?

   ____

7. Где моё письмо́?

   ____

8. Где мои́ ру́чки?

   ____

9. Где мой слова́рь?

   ____

10. Где мой рюкза́к?

   ____

3. Translation

Translate the following passage into Russian.

My sister is a computer programmer. She speaks English, Russian, and Japanese. She used to live in Petersburg. She worked at a university there. Now she lives in Washington and works at a library. My dad is an engineer. He lives and works in Washington. I don't work. I am a student.

____

____

____

____

Name ______________________________

____

____

____

____

4. Writing a story

Read again what Та́ня says to her new friend as she shows her the family photographs.

Я Та́ня. Я живу́ в Москве́. Я студе́нтка. Э́то моя́ семья́. Э́то мой па́па. Он бухга́лтер. Он рабо́тает в ба́нке. Э́то моя́ сестра́ О́льга. О́на журнали́стка. Она́ живёт в Москве́ и рабо́тает на телеви́дении. Э́то моя́ ма́ма. Она́ учи́тельница и рабо́тает в шко́ле. Э́то мой друг Ми́ша. Он ветерина́р и рабо́тает в кли́нике. Э́то моя́ подру́га Да́ша. Она́ студе́нтка и живёт в Аме́рике.

Now write a similar story about yourself, your family, and your friends.

Я ______________________________. Я живу́ ______________________________.

____

____

____

____

____

Name ______________________________

Listening

1. Cardinal numerals

A. Listen, repeat and memorize the numerals from 11 to 20.

11 – оди́ннадцать /адьи́наццать/
12 – двена́дцать /двьина́ццать/
13 – трина́дцать /трьина́ццать/
14 – четы́рнадцать /читы́рнаццать/
15 – пятна́дцать /пьитна́ццать/
16 – шестна́дцать /шысна́ццать/
17 – семна́дцать /сьимна́ццать/
18 – восемна́дцать /васьимна́ццать/
19 – девятна́дцать /дьивьитна́ццать/
20 – два́дцать /два́ццать/

B. Cover the numbers and transcriptions and practice reciting the numerals out loud at least three times.

2. Irregular plurals

Several Russian nouns have an irregular plural form. Some of the more commonly used examples are:

челове́к (person)	лю́ди (people)
ребёнок (child)	де́ти (children)
друг (friend)	друзья́ (friends)
брат (brother)	бра́тья (brothers)
стул (chair)	сту́лья (chairs)

Writing

3. Using irregular plural forms

A. Transform the following sentences from the singular to the plural:

Вот мой друг. ➔ Вот мои́ друзья́.

1. Чей э́то ребёнок? Чьи это дети.
2. Здесь живёт наш друг. Здесь живут наши друзья
3. Челове́к мно́го рабо́тает. Люди много работают.
4. Твой брат тут? Твой братья тут?
5. Э́то мой стул. Это мой стулья.

B. Transform the following sentences from the plural to the singular.

Э́то ва́ши сту́лья? – Э́то ваш стул?

1. На́ши друзья́ ма́ло отдыха́ют. Наш друг мало отдыхает.
2. Их де́ти мно́го чита́ют. Его ребёнок много читает
3. Где рабо́тают твои́ бра́тья? Где работает твой брат.
4. Лю́ди там не живу́т. Человек там не живёт
5. Э́то не на́ши сту́лья. Это не наш стул.

4. Cardinal numerals

Connect the dots in the order indicated to reveal the name of a 19th century Russian artist.

5 .　　. 16　　во́семь ➔ оди́н ➔ пять ➔ шестна́дцать ➔ двена́дцать ➔
1 .　　. 12　　оди́н;
8 .

2 .　　. 13　　два ➔ трина́дцать; де́сять ➔ семь; девятна́дцать ➔ три;
19 .　　. 3　　два ➔ де́сять;
10 .　　. 7

11 .　　. 4　　два́дцать ➔ оди́ннадцать ➔ четы́ре ➔ шесть;
20 .　　. 6
17 .　　. 15　　семна́дцать ➔ трина́дцать ➔ пятна́дцать ➔ де́вять;

13 .　　. 9

Name ___________________________

14 . . 11 восемна́дцать ➔ девятна́дцать ➔;

18 . . 19 четы́рнадцать ➔ во́семь;

8 . . 20 оди́ннадцать ➔ два́дцать

5. New vocabulary Review

A. Что э́то? Write the appropriate names for the items of clothing pictured below

платье

рубашка

кроссовки

ко́фта

футбо́лка

брюки

юбка

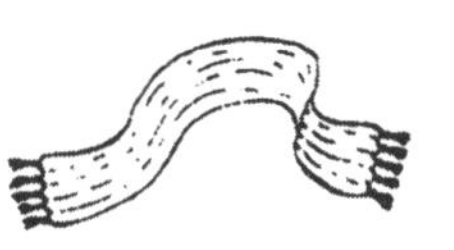

шарф

ту́фли

Reference words:

футбо́лка — t-shirt
шарф — scarf
юбка — skirt
пла́тье — dress
кроссо́вки — sneakers
ко́фта — woman's shirt
ту́фли — shoes
брю́ки — pants
руба́шка — shirt

B. List the items of clothing you are wearing now.

____

What do you plan to wear tomorrow? ______________________________________

Before you go to the next class, skim through the questions in the textbook for Unit 3, Day 1 to get a general idea of what will happen in the next episode of the video.

Name ____________________

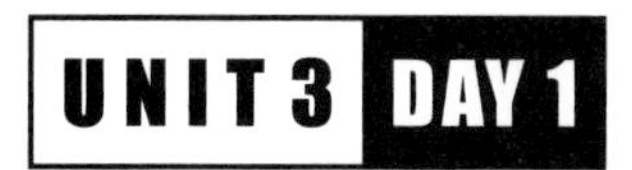

Listening

1. Recognizing salutations

A. Listen how different people greet each other and say goodbye. Fill in the missing words.

Decreasing level of formality

Formal	Informal
Здра́вствуйте + first name + patronymic Здра́вствуйте + first name	Приве́т + first name
До свида́ния + first name + patronymic До свида́ния + first name	Пока́ + first name

1. — ______________________, Ве́ра Ива́новна!

— ______________________, Бори́с Петро́вич.

2. — ______________________, Ка́тя!

— ______________________, Серге́й!

3. — Ой, извини́. Я опа́здываю. ______________________!

— ______________________!

4. — ______________________, Макси́м.

— ______________________, Ната́ша.

5. — ______________________, Влади́мир Никола́евич!

— ______________________, Еле́на Серге́евна! До за́втра!

6. — ______________________, И́ра!

— ______________________!

B. Who spoke to each other formally and who spoke informally? List the numbers of the exchanges from Exercise 1 under the corresponding categories.

formal ____________ informal ____________

C. Listen one more time and repeat.

Writing

2. Patronymics

Form the patronymics of the following people:

па́па:	Бори́с
до́чка:	Людми́ла Бори́совна
сын:	Влади́мир Бори́сович

1. па́па: Валенти́н

сын: Оле́г Валенти́нович — он: father's name + ов/ев + ич

до́чка: Ири́на Валенти́новна — она́: father's name + ов/ев + на

2. па́па: Макси́м — If the father's name

сын: Михаи́л Макси́мович — ends in **й**, the patronymic

до́чка: Еле́на Макси́мовна — suffix will be -**ев**;

3. па́па: Алекса́ндр — **й + ев = → йев → ев**

сын: Андре́й Алекса́ндрович — Серге́й + ев → Серге́евич

до́чка: Мари́на Алекса́ндровна

4. па́па: Ива́н

сын: Алексе́й Иванович

до́чка: О́льга Ивановна

Name ______________________________

5. па́па: Никола́й

сын: И́горь Николаевич

до́чка: Ни́на Николаевна

6. па́па: Андре́й

сын: Алекса́ндр Андре́евич

до́чка: Ната́лья Андре́евна

3. Cardinal numerals: spelling

Fill in the missing letters. (Refer to Appendix IV at the end of the Textbook.)

оди́н_н_адцать	шес_т_на́дцать
чет_ы_рнадцать	дев_я_тна́дцать
п_я_тна́дцать	вос_е_мна́дцать
два́_д_цать	семна́_д_цать

4. Cardinal numerals: counting

Fill in the blanks with the missing numerals and count back from 20 to 10 from memory.

де́сять	шестнадцать
о_диннадцать_	семнадцать
двена́дцать	восемна́дцать
тр_ина́дцать_	девятнадцать
четы́рнадцать	два́дцать
п_ятнадцать_	

Name ____________________

Listening

1. Adjectives

Students in a dormitory are getting dressed for a party. Listen to their conversations and circle the adjectives they use. Then listen and repeat.

1. — Где мои́ но́вые/ста́рые джи́нсы?
   — Вот они́.
2. — Где моё чёрное/кра́сное пла́тье?
   — Я не зна́ю.
3. — Ты не зна́ешь, где мой но́вый/ста́рый сви́тер?
   — Он вон там.
4. — А где твои́ голубы́е/зелёные шо́рты?
   — Я не зна́ю.
5. — Где моя́ бе́лая/жёлтая ма́йка?
   — Вон она́.
6. — А где моя́ но́вая/ста́рая ю́бка?
   — Она́ вон там.

Writing

2. Vocabulary practice

A. Translate the following words.

hotel ____________________

dress платье

building ____________________

cat кошка

child ребёнок

girl-friend ____________________

city ____________________

daughter ____________________

friends друзья

B. Use the words from Part A to complete the text below.

Москвá – большóй и интерéсный ______________________.

Вот нóвая ______________. Здéсь рабóтает моя́ хорóшая

______________ Ири́на Сергéевна. Онá чáсто рабóтает вéчером.

А вот стáрое краси́вое ______________________

Здесь живу́т мои́ ______________ Сергéй и егó мáленькая

______________ А́ня. А́ня мнóго гуля́ет. О́на говори́т: «Ой, какóй

смешнóй ______________________! Ой, какóе дли́нное

______________! Ой, какáя большáя ______________!»

3. Adjectives: antonyms

You have a part-time job in a library.

A. Answer these questions in the negative using the opposites.

— Э́то стáрый словáрь?
— Нет, нóвый.

1. Э́то стáрые газéты?

   Нет, новые.

2. Э́то интерéсная кни́га?

   ____

3. Э́то нóвый журнáл?

   Нет, старый

4. Э́то хорóшая газéта?

   ____

Name ______________________

5. Э́то но́вые ка́рты?

Нет, старые.

6. Э́то интере́сные статьи́?

____

B. Answer the questions.

— Э́то смешна́я и́ли серьёзная кни́га?
— По-мо́ему, э́то серьёзная кни́га.

1. Э́то хоро́ший и́ли плохо́й журна́л?

____

2. Э́то но́вые и́ли ста́рые газе́ты?

____

3. Э́то хоро́шая и́ли плоха́я ка́рта?

____

4. Э́то но́вый и́ли ста́рый слова́рь?

____

5. Э́то интере́сная и́ли неинтере́сная статья́?

____

4. What are you going to wear?

Build three outfits from the following lists of nouns and adjectives.

бе́лый сви́тер, чёрные джи́нсы

джи́нсы	кра́сный
пла́тье	бе́лый
шо́рты	голубо́й
ма́йка	жёлтый
сви́тер	зелёный
ю́бка	ора́нжевый
ко́фта	чёрный
шарф	се́рый

Do not forget to make the adjective agree with the noun.

Outfit # 1

____

____

____

Outfit # 2

____

____

____

Outfit # 3

____

____

____

Name ______________________________

Listening

1. Recognizing numbers

Listen to the following conversations and fill in the missing numbers. Be sure to write them out! (Refer to Appendix IV at the end of the Textbook.)

1. — Скажи́те, пожа́луйста, э́то дом но́мер ____________________?

— Нет, э́то дом но́мер ____________________.

— Спаси́бо.

2. — Извини́те, где здесь кварти́ра но́мер ____________________?

— Кварти́ра но́мер ____________________?

— Нет, но́мер ____________________.

— Вон там.

— Спаси́бо.

3. — Я живу́ в до́ме ____________________.

— В до́ме но́мер ____________________?

— Нет, но́мер ____________________.

4. — Вы не зна́ете, где живёт О́льга Андре́евна?

— В до́ме но́мер ____________________.

— В до́ме но́мер ____________________?

— Нет, ____________________.

— Спаси́бо.

Writing

2. Expressing comparisons

Fill in the missing part of the comparison. (Refer to Analysis Unit III, 3, 4.)

Э́тот сви́тер голубо́й, а _______________ . →
Э́тот сви́тер голубо́й, а тот сви́тер бе́лый.

1. Э́та кни́га испа́нская, а ____.
2. Э́тот фильм америка́нский, а ____.
3. Э́ти ту́фли больши́е, а ____.
4. Э́то пла́тье хоро́шее, а ____.
5. Э́та ю́бка кра́сная, а ____.
6. ____, а та соба́ка бе́лая.
7. ____, а те кроссо́вки некраси́вые.
8. ____, а тот шарф чёрный.
9. ____, а те сту́лья но́вые.
10. ____, а тот рестора́н ру́сский.

3. Vocabulary practice

Та́ня went to the White Turtle Club to interview several talented young writers. Some club members seemed to be quite strange: Та́ня received a letter from one writer, in which all of the adjectives were in English! Read the letter and translate the adjectives into Russian.

Здра́вствуйте!

Я ______________________ (*Russian*) писа́тель, ______________________ (*French*)

поэ́т и ______________________ (*German*) компози́тор. У́тром я гуля́ю в

Name ______________________________

зоопа́рке и мно́го ду́маю по-францу́зски. Днём я чита́ю по-ру́сски. Ве́чером я отдыха́ю на дива́не и говорю́ по-неме́цки. Отли́чно! Мои́ ________________
old red

______________________________ брю́ки в гараже́!

Моя́ ______________________________ соба́ка в Аме́рике.
beautiful black

И, вы зна́ете, мои́ кни́ги о́чень ______________________________.
delicious

Пра́вда! Я живу́ в до́ме но́мер девятна́дцать.

Како́й ваш са́мый ______________________________ рестора́н?
favorite

До свида́ния,

Ваш ______________________ друг, Аполло́н
new

4. Superlative form of adjectives

Answer the following questions using the appropriate form of **са́мый**.

— Как ты ду́маешь, э́то интере́сная кни́га?
— По-мо́ему, э́то са́мая интере́сная кни́га в библиоте́ке.

1. Как ты ду́маешь, э́то краси́вая ма́йка?

   ______________________________ в магази́не.

2. Как ты ду́маешь, э́то ста́рые джи́нсы?

   ______________________________ в ми́ре.

3. Как ты ду́маешь, э́то большо́е общежи́тие?

   ______________________________ в университе́те.

4. Как ты ду́маешь, э́то интере́сный фильм?

   ______________________________ в ми́ре.

5. Как ты ду́маешь, э́то ма́ленький рюкза́к?

   ______________________________ в магази́не.

6. Как ты ду́маешь, э́то хоро́шее кафе́?

____ в Москве́.

7. Как ты ду́маешь, э́то хоро́шая больни́ца?

____ в го́роде.

5. Vocabulary practice

When Ке́вин can't sleep, he doesn't just count sheep to put himself to sleep: he thinks of a Russian noun and combines it with an adjective. He says it works wonders!

Do you want to try his method? If you are not asleep by the end of the exercise, think of another dozen Russian nouns and combine them with the following adjectives!

Nouns:

у́жин, пла́тье, челове́к, бра́тья, рабо́та, окно́, сестра́, де́ти, сыр, письмо́, кафе́, кассе́ты, за́втрак, кроссо́вки, ю́бка, друзья́, общежи́тие, лю́ди, шо́рты, сту́лья, фильм, ве́щи

Reminder: not everything that ends in а/я is feminine! It could be plural!

Adjectives:

симпати́чный, ста́рый, смешно́й, молодо́й, энерги́чный, весёлый, стра́нный, дли́нный, коро́ткий, мо́дный, немо́дный, краси́вый, плохо́й, неплохо́й, хоро́ший, вку́сный, невку́сный, интере́сный, неинтере́сный, францу́зский, зелёный, англи́йский, ру́сский

____

____

____

____

____

____

____

____

____

____

____

____

Name ____________________________

Listening

1. Expressing disagreement

Listen to conversations in which people disagree with each other and fill in the missing words. Then listen and repeat. Pay attention to IC-2 exclamations.

1. — По-мо́ему, твоя́ ю́бка о́чень дли́нная.

— Что́ ты! Она́ ____________________________.

(2 = IC-2 over Что)

2. — По-мо́ему, твои́ кроссо́вки о́чень ста́рые.

— Что́ ты! ____________________________.

(2 = IC-2 over Что)

3. — Твоё пла́тье о́чень мо́дное.

— ______________. По-мо́ему, ______________.

4. — Вот э́тот сви́тер са́мый краси́вый.

— ______________. По-мо́ему, ______________.

5. — Вот э́тот журна́л о́чень смешно́й.

— ____________________________.

6. — По-мо́ему, э́тот фильм о́чень коро́ткий.

— ____________________________.

7. — Э́тот сала́т о́чень невку́сный.

— ____________________________.

8. — Э́та студе́нтка ру́сская.

— ____________________________.

Writing

2. Verb conjugation

Give the full conjugation of the verb **хоте́ть**. (Refer to Analysis Unit III, 8).

Present Tense	Past Tense
я ______	он ______
ты ______	она́ ______
он, она́ ______	оно́ ______
мы ______	они́ ______
вы ______	
они́ ______	

3. Verb practice: хоте́ть

People disagree about all sorts of things! Complete the following sentences using the appropriate form of the verb **хоте́ть**.

> Я хочу́ говори́ть по-англи́йски, а моя́ сестра́ ______ ➔
> Я хочу́ говори́ть по-англи́йски, а моя́ сестра́ хо́чет говори́ть по-испа́нски.

1. Я хочу́ жить в кварти́ре, а мой друг ______.
______
2. А́нна Бори́совна хо́чет отдыха́ть зимо́й, а Ви́ктор Степа́нович ______
______
3. Роди́тели хотя́т чита́ть, а де́ти ______
______
4. Вы хоти́те гуля́ть, а мы ______
______
5. Моя́ подру́га хоте́ла жить в шта́те Джо́рджия, а её бра́тья ______
______

Name ______________________________

6. Мои́ друзья́ хоте́ли рабо́тать ле́том, а их подру́ги ______________________

____

7. Та́ня хоте́ла говори́ть по-ру́сски, а Да́ша ______________________

____

8. Ке́вин хо́чет чита́ть в библиоте́ке, а Са́ша ______________________

____

9. Э́ти лю́ди хотя́т жить в Нью-Йо́рке, а те лю́ди ______________________

____

4. Describing people

Complete the sentences using adjectives on the right.

1. Мои́ друзья́ ______________		энерги́чный
2. Мой брат ______________		симпати́чный
3. Моя́ подру́га ______________	о́чень	весёлый
4. Мой друг ______________	не о́чень	смешно́й
5. Моя́ сестра́ ______________		стра́нный
6. Мои́ роди́тели ______________		хоро́ший
7. Я ______________		плохо́й
		серьёзный

5. Cardinal numerals

Write out the following numbers. Mark stress. (Refer to Appendix IV at the end of the Textbook.)

5: ______________________________

15: ______________________________

6: ______________________________

16: ______________________________

7: ______________________________

17: ______________________________

8: ______________________________

18: ______________________________

9: ______________________________

19: ______________________________

Name ______________________________

UNIT 3 DAY 5

Listening

1. Intonation in enumeration

The following sentences are examples of enumeration, or listing terms. Mark the ICs and then check yourself against the answer key at the end of the Workbook.

> Enumerations are usually pronounced with IC-3, followed by IC-1 at the end of the sentence.

1. — Где вы жи[2]ли в Росси́и?

— В Москве[3], Петербу[3]рге и Но[1]вгороде.

2. — Когда́ вы жи́ли в Москве́?

— В ма́е, в ию́не и в ию́ле.

3. — Где вы рабо́тали?

— В магази́не, в кафе́ и в библиоте́ке.

4. — Когда́ вы рабо́тали в магази́не?

— В сентябре́, в октябре́ и в ноябре́.

5. — Како́й са́мый краси́вый цвет?

— Чёрный, бе́лый и кра́сный.

6. — Ну, как твой но́вый друг?

— Он хоро́ший, весёлый и энерги́чный.

2. Months of the year

A. Listen to the months of the year in the nominative and prepositional case and insert stress marks. Put a check beside the months which have end stress in the prepositional case. (Refer to Analysis Unit III, 6.)

1. ноябрь – в ноябре
2. июнь – в июне
3. март – в марте

4. январь – в январе
5. сентябрь – в сентябре
6. август – в августе
7. июль – в июле
8. декабрь – в декабре
9. май – в мае
10. октябрь – в октябре
11. апрель – в апреле
12. февраль – в феврале

B. Listen and repeat.

3. Dictation

Mark stress and ICs as you write out the dictation.

1. ____

____

2. ____

____

Writing

4. Using demonstrative pronouns

Fill in the blanks using the correct form of **э́тот/тот**. (Refer to Analysis Unit III, 3, 5.)

э́тот	тот
1. Я живу́ в э́той ко́мнате.	1. Мы живём в том до́ме.
2. Мои́ друзья́ ча́сто у́жинают в ______________ кафе́.	2. Ле́на живёт в ______________ общежи́тии.
3. Ви́ктор Степа́нович жил в ______________ гости́нице.	3. Ты обе́дал в ______________ рестора́не?

Name ______________________________

4. А́нна Бори́совна рабо́тает в ________________ шко́ле.

5. Вы всегда́ гуля́ете в ________________ па́рке?

6. Ра́ньше мы жи́ли в ________________ до́ме.

4. Мой брат рабо́тает в ________________ больни́це.

5. Я отдыха́ю в ________________ ко́мнате.

6. Ви́ктор Степа́нович рабо́тает в ________________ зда́нии.

5. Asking questions

Today is your first day at work, and as a newcomer you have a lot of questions. (Refer to Analysis Unit III, 5.) Ask…

— if your new office is in that room (→ e.g., Is my new office in that room?)

____

— if the cafeteria is in this building.

____

— if the person you are talking to often has lunch in that cafeteria.

____

— if the person over there works in your laboratory.

____

— if those people live in this city.

____

— if the person you are talking to used to live in France.

____

— if the computer in your room is new.

____

6. What do you want?

Write your three greatest wishes.

Я хочу́ жить в Петербу́рге.

____

____

____

Name ______________________________

UNIT 3 DAY 6

Listening

1. Recognizing first names

You are people-watching at a party and overhear some conversations. Fill in the missing names as you listen. Listen and repeat.

Remember that masculine nicknames often end in **-a** and look like feminine nouns. Compare with: **мой па́па**

1. — Извини́те, пожа́луйста, как вас зову́т?

— ________________. А как вас зову́т?

— ________________.

— О́чень прия́тно.

— О́чень прия́тно.

2. — Приве́т, ________________.

— Приве́т, ________________. Познако́мься, пожа́луйста. Э́то

моя́ подру́га ________________.

— О́чень прия́тно.

— О́чень прия́тно.

3. — Здра́вствуйте, Меня́ зову́т ________________. А как вас зову́т?

— Меня́ зову́т ________________. И́ли ________________.

— О́чень прия́тно.

— О́чень прия́тно.

4. — Здра́вствуйте. Как вас зову́т?

— Меня́ зову́т ________________. А как вас зову́т?

— ________________. О́чень прия́тно.

— О́чень прия́тно.

5. — Познако́мьтесь!

— Здра́вствуйте! Меня́ зову́т ________________. А как вас зову́т?

— А я ________________. О́чень прия́тно.

— О́чень прия́тно.

Reference names:

First name	Nickname	First name	Nickname
Михаи́л	Ми́ша	Татья́на	Та́ня
Никола́й	Ко́ля	Со́фья	Со́ня
Фёдор	Фе́дя	Еле́на	Ле́на
Алекса́ндр	Са́ша	Мари́я	Ма́ша
Серге́й	Серёжа	Ната́лья	Ната́ша
Дми́трий	Ди́ма	Да́рья	Да́ша

Writing

2. Verb practice: хоте́ть

Answer the following questions in **complete** sentences. (Refer to Analysis Unit III, 7, 8.)

> — Вы хоти́те жить в Петербу́рге?
> — Да, я хочу́ жить в Петербу́рге.
> — Нет, я не хочу́ жить в Петербу́рге.

1. Да́ша хо́чет говори́ть по-англи́йски?

____

2. Ке́вин хо́чет жить в э́той кварти́ре?

____

3. Ми́ша хо́чет рабо́тать в кли́нике?

____

4. Ва́ши роди́тели хотя́т жить в Росси́и?

____

5. Вы хоти́те жить в общежи́тии?

____

Name ________________________________

3. Agreement: adjectives and nouns

Using the adjectives on the right and your own imagination for nouns, choose 5 presents you would like for your birthday.

1. ________________________________
2. ________________________________
3. ________________________________
4. ________________________________
5. ________________________________

но́вый – ста́рый
краси́вый – некраси́вый
мо́дный – немо́дный
дли́нный – коро́ткий
большо́й – ма́ленький
стра́нный
смешно́й – серьёзный
кра́сный
чёрный
бе́лый
голубо́й
жёлтый
зелёный

4. Using the prepositional case

Complete the following sentences by putting the provided phrases in the prepositional case. (Refer to Analysis Unit III, 5.) Don't forget to choose the right preposition!

Са́ша рабо́тает в Москве́. Ра́ньше он рабо́тал в на́шем го́роде.

1. Сейча́с Да́ша живёт в общежи́тии. Ра́ньше она́ жила́

   ________________________________ — э́та гости́ница

2. Ра́ньше А́нна Бори́совна рабо́тала в той шко́ле. Сейча́с она́ рабо́тает

   ________________________________ — на́ша шко́ла

3. Сейча́с Ке́вин живёт в Москве́. Ра́ньше он жил

   ________________________________ — наш го́род

4. Сейча́с Ле́на рабо́тает в той библиоте́ке. Ра́ньше она́ рабо́тала

   ________________________________ — на́ша библиоте́ка

5. Сейча́с Та́ня и О́ля живу́т в э́том до́ме. Ра́ньше о́ни жи́ли

   ________________________________ — наш дом

Name ______________________________

Listening

1. Listening comprehension

A. Listen to Та́ня's classmate Гали́на describe herself at least two times.

B. Mark the following statements as true/false.

1. Гали́на хо́чет рабо́тать в газе́те. да/нет
2. Ра́ньше Гали́на жила́ в Ми́нске. да/нет
3. Ра́ньше Алекса́ндр Миха́йлович рабо́тал в гости́нице. да/нет
4. Ири́на Влади́мировна рабо́тала в больни́це. да/нет
5. Ма́ма о́чень мно́го рабо́тает. да/нет
6. Па́па ле́том живёт в Москве́. да/нет
7. В ию́не Гали́на живёт на да́че. да/нет
8. Гали́на хорошо́ говори́т по-францу́зски. да/нет

C. Refer to the answer key at the end of the Workbook and read Гали́на's story out loud. Record your reading and compare it with the original.

Writing

2. Identifying your belongings

You have forgotten one of your things in the locker room. Go to the "Lost and Found" and point out the item to the person working there.

— Э́то мои́ ту́фли.
— Каки́е?
— Вот э́ти, бе́лые.

1. — Э́то ____________ шарф.

   — Како́й?

   — Вот ____________________.

2. — Э́то ____________ ко́фта.

   — Кака́я?

   — Вот ____________________.

3. — Э́то ____________ пла́тье.

— Како́е?

— Вот ____________________.

4. — Э́то ____________ ю́бка.

— Кака́я?

— Вот ____________________.

5. — Э́то ____________ су́мка.

— Кака́я?

— Вот ____________________.

6. — Э́то ____________ ша́пка.

— Кака́я?

— Вот ____________________.

7. — Э́то ____________ ту́фли.

— Каки́е?

— Вот ____________________.

8. — Э́то ____________ рюкза́к.

— Како́й?

— Вот ____________________.

3. Translation

1. — Do you happen to know where the hospital is?

   — I think it's in that building.

   ____

   ____

2. — These white shoes are ugly!

   — What are you talking about? They are beautiful!

   ____

   ____

3. My friend Да́ша is young and very nice. Now she lives in our dormitory. This is the biggest dormitory in our university. Her favorite course is English.

   ____

   ____

   ____

   ____

Name ___________________________

4. — You are speaking German. Are you German?

— No, I'm American. My mom is German and my dad is French. I speak English, German and French.

____

____

____

____

Name ________________________________

Listening

1. Memorizing a dialog

A. Listen to the following dialog from the video several times. Memorize it.

Та́ня: — Привет[2], па́па. Как дела[2]?

Па́па: — Нормально[1]. А где[2] твой америка́нец?

Та́ня: — Кевин[3]? Он дома[1].

Ма́ма: — Ну как[2] он, симпатичный[3]?

Та́ня: — Очень[2] симпати́чный! Энергичный[2]! Весёлый[2]!

Ма́ма: — Он молодой[3]?

Та́ня: — Да[1], не старый[1].

Ма́ма: — А кто[2] он?

Та́ня: — Он фотограф[1]. Смешной[2]! И он хорошо́ говори́т по-русски[1].

Па́па: — А в Аме́рике где[2] он живёт?

Та́ня: — Я то́чно[1] не знаю. По-моему[3], в Вашингтоне[1].

B. Record the dialog as you have memorized it and compare it with the original.

Writing

2. Ваш дом/ва́ша кварти́ра

Describe the place where you live. Use as many adjectives as you can. Is it a small house? A dormitory? A big apartment? What is there in your room? Do you share your place with someone else? What do you usually do in the evening and on the weekends?

____

____

3. Writing a letter

Below is a part of the letter that Ле́на received. The young woman who wrote the letter lives in a small town in Siberia and feels a little lonely there. She would like to have a penpal from a big city. Write a similar letter to your Russian penpal (6–8 sentences), telling him/her where you live, what you like to do, what languages you speak, etc.

Меня́ зову́т Ка́тя Си́монова. Я учи́тельница. Я рабо́таю в шко́ле. Ра́ньше я жила́ во Владивосто́ке, а сейча́с я живу́ в Би́йске. Наш го́род о́чень ма́ленький. В ию́ле и в а́вгусте шко́ла не рабо́тает. И я то́же не рабо́таю. Я отдыха́ю, гуля́ю, мно́го чита́ю. По-мо́ему, са́мая интере́сная страна́ — США. Там живу́т америка́нцы, испа́нцы, ру́сские, япо́нцы… Я немно́го понима́ю по-англи́йски. Я хочу́ говори́ть по-англи́йски. Мой са́мый люби́мый писа́тель — Лев Толсто́й. Мой люби́мый компози́тор — Вива́льди. Са́мый краси́вый цвет, по-мо́ему, зелёный.

Name ____________________

4. Counting

Write out the numbers 1–20. Read them in order out loud and then, from memory, count backwards from 20.

____

____

____

____

____

____

Name Taylor Bridgewood

UNIT 4 WARM-UP

Writing

1. Ordinal numerals

A.

cardinal numeral	оди́н	два	три	четы́ре	пять
ordinal numeral	first	second	third	fourth	fifth
masculine	пе́рвый	второ́й	тре́тий	четвёртый	пя́тый
feminine	пе́рвая	втора́я	тре́т**ья**	четвёртая	пя́тая
neuter	пе́рвое	второ́е	тре́т**ье**	четвёртое	пя́тое

cardinal numeral	шесть	семь	во́семь	де́вять	де́сять
ordinal numeral	sixth	seventh	eighth	ninth	tenth
masculine	шесто́й	седьмо́й	восьмо́й	девя́тый	деся́тый
feminine	шеста́я	седьма́я	восьма́я	девя́тая	деся́тая
neuter	шесто́е	седьмо́е	восьмо́е	девя́тое	деся́тое

пе́рвый эта́ж = the first floor
пе́рвая ле́кция = the first lecture
пе́рвое письмо́ = the first letter

As you see from the charts, ordinal numbers function just like adjectives.

Ordinal numerals can also be used with possessive pronouns:

my first lecture = моя́ пе́рвая ле́кция

B. Fill in the blanks with the correct ordinal numerals.

(first)	(third)
мой пе́рвый фи́льм	мой тре́тий слова́рь
моя́ пе́рвая кни́га	моя́ тре́тья маши́на
моё пе́рвое письмо́	моё тре́тье письмо́

(second)

мой <u>второ́й</u> костю́м

моя́ <u>втора́я</u> соба́ка

моё <u>второ́е</u> пла́тье

(fourth)

мой <u>четвёртый</u> фильм

моя́ <u>четвёртая</u> ле́кция

моё <u>четвёрое</u> пла́тье

C.

<u>пя́тый</u> дом
fifth

<u>шесто́е</u> окно́
sixth

<u>девя́тая</u> ка́рта
ninth

<u>деся́тый</u> челове́к
tenth

<u>восьмо́й</u> общежи́тие
eighth

<u>пя́тая</u> ко́мната
fifth

<u>седьма́я</u> кварти́ра
seventh

<u>шесто́й</u> ребёнок
sixth

<u>восьмо́й</u> ле́кция
eighth

<u>девя́тое</u> письмо́
ninth

D. Form ordinal numerals from the following cardinal numerals:

оди́ннадцать - оди́ннадцат**ый** авто́бус (i.e. авто́бус но́мер 11)

двена́дцать - двена́дцат**ая** кварти́ра (i.e. кварти́ра но́мер 12)

трина́дцать - трина́дцат <u>ый</u> эта́ж

четы́рнадцать - четы́рнадцат <u>ый</u> дом (дом но́мер 14)

пятна́дцать - пятна́дцат <u>ый</u> общежи́тие (общежи́тие но́мер 15)

шестна́дцать - шестна́дцат <u>ая</u> шко́ла (шко́ла но́мер 16)

семна́дцать - семна́дцат <u>ая</u> ко́мната (ко́мната но́мер 17)

восемна́дцать - восемна́дцат <u>ый</u> эта́ж

девятна́дцать - девятна́дцат <u>ая</u> больни́ца (больни́ца но́мер 19)

два́дцать – двадц**а́**т <u>ая</u> человек *(note the stress shift!)*

Before you go to the next class, skim through the questions in the textbook for Unit 4, Day 1 to get a general idea of what will happen in the next episode of the video.

Name ______________________________

Listening

1. Recognizing ordinal numerals

A. Listen to the following sentences and fill in the missing ordinal numerals. (Refer to Appendix IV at the end of the Textbook.)

1. Э́то ____________________ эта́ж.
2. Вот ____________________ авто́бус.
3. Где здесь ____________________ кварти́ра?
4. Вы не зна́ете, где ____________________ общежи́тие?
5. Сего́дня на́ша ____________________ ле́кция.
6. Вот ____________________ ко́мната.
7. Э́то наш ____________________ дом.
8. А где твоя́ ____________________ маши́на?
9. Э́то ____________________ и́ли ____________________ эта́ж?

B. Listen and repeat the sentences aloud. Pay attention to the reduction of the unstressed **е:** четвёртый /читвьо́ртый/, шесто́й /шысто́й/, седьмо́й /сьидьмо́й/, девя́тый /дьивьа́тый/, деся́тый /дьисьа́тый/.

2. Ordinal numerals

Listen to the following conversations and fill in the missing words.

1. — Извини́те, где здесь ____________________ кварти́ра?

   — Вон там.

   — Спаси́бо.

2. — Скажи́те, пожа́луйста, э́то ____________________ авто́бус?

   — Нет, ____________________.

   — Спаси́бо.

3. — Извини́те, како́е э́то общежи́тие?

   — ____________________.

— А вы не зна́ете, где _____________________ общежи́тие?

— Там.

— Спаси́бо.

4. — Извини́те, э́то _____________________ эта́ж?

— Нет, _____________________.

— Спаси́бо.

Writing

3. Patronymics and last names

Fill in the first name, patronymic and last name of the people below. (Refer to Analysis Unit III, 9 and Analysis Unit IV,12.)

	Ви́ктор Ви́кторович Лео́нтьев
его́ жена́:	Тамара́ Серге́евна *Лео́нтьева*
его́ сын:	И́горь *Ви́кторович Лео́нтьев*

1. О́льга Семёновна Ники́тина

её муж: Пётр Петро́вич _____________________

её до́чка: Еле́на _____________________

2. Михаи́л Серге́евич Мака́ров

его́ па́па: _____________________ Васи́льевич Мака́ров

его́ жена́: А́нна Фёдоровна _____________________

его́ сестра́: Татья́на _____________________

3. Гали́на Ива́новна Ры́жикова

её сын: Никола́й Ви́кторович _____________________

её муж: _____________________ Петро́вич _____________________

её до́чка: Мари́на _____________________

Name ______________________________

4. Где вы бы́ли?

Complete the following sentences based on your own life. (Refer to Analysis Unit IV, 9.)

1. У́тром я был(а́) в университе́те.
2. Вчера́ ве́чером я была в доме.
3. Ле́том мои́ роди́тели были в отпуске на Кубе.
4. Ле́том я была в отпуске с мой мамо.
5. Днём моя́ подру́га была на работе.
6. В сентябре́ мой друг был в университете.

5. Word puzzle

Unscramble these syllables to create words. Mark stress.

1. то-ав-бус — автобус (bus)
2. те-биб-ка-о-ли — библиоте́ка (library)
3. тер-брод-бу — бутерброд (sandwich)
4. спра-ть-ва-ши — спрашивать (ask)
5. ка-вы-став — выставка (exhibition)
6. рес-ин-ный-те — интересный (interesting)
7. лист-жур-ка-на — журналистка (journalist)
8. бе-ть-о-да — обедать (dinner)
9. ёз-серь-ный — серьёзный (serious)
10. ви-те-зор-ле — телевизор (TV)

Name ______________________________

Listening

1. Practicing IC-3

A. Listen and repeat. Notice that the answer depends on the placement of IC-3 in the question.

1. — Вы были (3) на лéкции вéчером?

— Нет (1), не (1) был.

— Вы бы́ли на лекции (3) вéчером?

— Нет (1), в библиотеке (1).

— Вы бы́ли на лéкции вечером (3)?

— Да (1), вечером (1).

2. — Они́ бы́ли на спектáкле вчера (3)?

— Да (1), вчера (1).

— Они́ были (3) на спектáкле вчерá?

— Нет (1), не (1) были.

— Они́ бы́ли на спектакле (3) вчерá?

— Нет (1), на концерте (1).

B. Listen to the questions below and place IC-3 over the intonational center.

3. a. — Вáша семья́ былá в Калифóрнии лéтом?

____

b. — Вáша семья́ былá в Калифóрнии лéтом?

____

4. a. — Твоя́ подру́га была́ в Росси́и в а́вгусте?

____

b. — Твоя́ подру́га была́ в Росси́и в а́вгусте?

____

5. a. — Вы бы́ли до́ма ле́том?

____

b. — Вы бы́ли до́ма ле́том?

____

C. Provide the answers to the above questions based on your own life. Your responses should reflect the placement of IC-3 in the questions.

Writing

2. Prepositional case of adjectives

Use the provided adjectives to answer the following questions.
(Refer to Analysis Unit IV, 4.)

1. В како́м до́ме вы живёте? — большо́й, ма́ленький, не о́чень большо́й, но́вый

____

2. В како́м го́роде вы живёте? — небольшо́й, краси́вый, о́чень большо́й, ста́рый

____

3. В како́м райо́не живу́т ва́ши роди́тели? — краси́вый, но́вый, ста́рый, хоро́ший

____

4. В како́м рестора́не вы ча́сто у́жинаете? — америка́нский, италья́нский, францу́зский, ру́сский, кита́йский (Chinese)

____

Name ________________________________

5. В какóй квартúре живýт вáши друзья́? — большáя, мáленькая, ужáсная, хорóшая

____

6. На какóм этажé онú живýт? — пéрвый, вторóй, трéтий…

3. Ordinal numerals

You are the leader of a group of Russian exchange students that has just arrived in the United States. Make a list of who lives in which room. (Refer to Analysis Unit IV, 4 and Appendix 4 at the end of the Textbook.) Remember to use the right prepositions. Pay attention to the endings.

Лéна и Мáша живýт **на** пéрвом этажé **в** пéрвой кóмнате.

общежúтие

4 этáж	кóмната 18 Марúна	кóмната 19 И́ра
3 этáж	кóмната 16 Натáша	кóмната 14 О́ля
2 этáж	кóмната 10 Сáша, Дúма	кóмната 9 Пéтя
1 этáж	кóмната 2 Кáтя	кóмната 1 Лéна, Мáша

1. ________________________________

2. ________________________________

3. ________________________________

4. ________________________________

5. ________________________________

6. ________________________________

7. ________________________________

4. Vocabulary practice

Fill in the blanks with the indicated words and then read the story out loud. (Refer to Analysis Unit III, 7 and 11, and Analysis Unit IV, 4.) Insert prepositions when necessary.

Джи́м Ко́ллинз — америка́нец. Он журнали́ст. Он живёт в

______________________ и рабо́тает в газе́те.
California

В ______________ и в ______________ он жил в ______________.
April *May* *Russia*

Он жил в Москве́, в ______________________________,
big new hotel

на ______________________________.
twelfth floor

Джим рабо́тал в ______________ газе́те. Он мно́го чита́л и говори́л
Russian

______________. Он обе́дал и у́жинал в ______________
in Russian *a good Russian*

рестора́не. Он был в музе́е ______________________
at an interesting exhibition

гуля́л ______________________________ па́рке.
in old green

Он был ______________ Байка́ле и ______________ Ура́ле.
at *in*

Name ______________________________

Listening

1. Listening comprehension

A. While living in the US, Да́ша met a Russian woman and her family. Listen to the description of О́льга Васи́льевна and her family at least two times.

B. Mark the following statements as true or false.

1. О́льга Васи́льевна рабо́тает в япо́нском рестора́не. да/ нет
2. О́льга Васи́льевна и её муж живу́т на тре́тьем этаже́. да/ нет
3. Они́ живу́т в Нью-Йо́рке. да/ нет
4. Они́ бы́ли на конце́рте. да/ нет
5. Ви́ктор — сту́дент. да/ нет
6. Алекса́ндр рабо́тает в Нью-Йо́рке. да/ нет
7. Ле́том Ви́ктор хо́чет рабо́тать в са́мом большо́м шта́те в США. да/ нет
8. Бра́тья не говоря́т по-ру́сски. да/ нет

C. Refer to the answer key at the end of the Workbook and read the description out loud. Record your reading and compare it with the original.

Writing

2. Verb conjugation

Give a full conjugation for the verb организова́ть (организ**ова́**-). Refer to Analysis Unit IV, 10.

Present Tense	Past Tense
я ______________	он ______________
ты ______________	она́ ______________
он, она́ ______________	оно́ ______________
мы ______________	они́ ______________
вы ______________	Infinitive
они́ ______________	______________

3. Using the prepositional case

Complete the sentences using the words in brackets in the appropriate case. (Refer to Analysis Unit IV, 4, 5.)

A.

1. Ле́на мно́го чита́ет. Сейча́с она́ чита́ет об ______________________________
(англи́йский бале́т)
____.

2. Вчера́ Та́ня была́ до́ма, а сего́дня она́ была́ на ________________________
(о́чень интере́сная вы́ставка)
____.

3. Э́то моя́ подру́га Ли́за. Ра́ньше она́ танцева́ла в ______________________
(ру́сский теа́тр)
____

Сейча́с она́ хо́чет танцева́ть в ____.
(америка́нский теа́тр)

4. — Я не́ был на ле́кции. О чём вы там говори́ли?

— О ____.
(совреме́нный би́знес)

B. **Prepositional plural.** (Refer to Analysis Unit IV, 5-6.)

1. У́тром студе́нты в университе́те, а ве́чером они́ рабо́тают в ____________
(библиоте́ки,
____
рестора́ны, магази́ны, лаборато́рии)

2. Ми́ша - ветерина́р. Он мно́го зна́ет о _________________________________
(соба́ки и ко́шки)

3. Мой брат - программи́ст. Он всегда́ говори́т о ________________________
(компью́теры)

4. Ми́ша и Та́ня ча́сто говоря́т о _______________________________________
(музе́и и вы́ставки)

Name ______________________________

5. Они́ всегда́ у́жинают в ______________________________

(хоро́шие рестора́ны)

и не хоте́ли говори́ть об ______________________________.

(отме́тки в институ́те)

4. Где они́ бы́ли?

Find out where these people were. (Refer to Analysis Unit IV, 9; Unit III, 7.) Don't forget to choose the right preposition.

> Ка́тя, дискоте́ка. ➔
> — Ка́тя, где ты была́?
> — Я была́ на дискоте́ке

1. Ми́ша, рабо́та ______________________________

____

2. Да́ша, ле́кция ______________________________

____

3. Та́ня, университе́т ______________________________

____

4. Ке́вин, мили́ция ______________________________

____

5. Ма́ма, бале́т ______________________________

____

6. Са́ша, спекта́кль ______________________________

____

Name ___________________________

Listening

1. Dictation

Mark stress and ICs as you write out the dictation. The sentences will be read three times.

1. ___________________________

   ____

2. ___________________________

   ____

3. ___________________________

   ____

4. ___________________________

   ____

Writing

2. Verb practice

Fill in the blanks with the correct form of the verb. (Refer to Analysis Unit IV, 10.) Pay attention to the tense of the utterances.

танцева́ть (танц**ева́**-)

1. Та́ня о́чень хорошо́ ___________________________.
2. Вчера́ Та́ня не ___________________________.
3. Ле́на и Са́ша здесь ча́сто ___________________________.
4. Вы ча́сто ___________________________?
5. Почему́ ты не хо́чешь ___________________________?

3. Asking questions

How would you ask these questions in Russian? Remember that questions words *who, what* and *what kind* have special forms in the prepositional case. Remember to use appropriate prepositions before the question word. (Refer to Analysis Unit IV, 2B.)

1. Your friend is reading a book. Ask him what the book is about.

____

2. You are looking for your friend who is out for a walk with the children. Ask her husband if he knows in which park they usually take walks.

____

3. Ask a passer-by if s/he knows what the street is called.

____

4. You are looking for a library. Ask someone if s/he knows where the library is.

____

5. You want to know where your friend's sister works. Ask your other friend if s/he knows.

____

6. Ask your friend if his or her parents usually speak English or Russian at home.

____

7. Find out if Ми́ша usually works in the afternoon or in the evening.

____

4. Translation

Translate the following sentences into Russian. (Refer to Analysis Unit IV, 9.)

1. — Where were Ми́ша and Та́ня last night?

____

— They were at the museum.

____

2. — Where was Да́ша yesterday?

____

Name ___________________________

— She was at the lecture.

____

3. — Where was Ке́вин yesterday?

____

— He was at home.

____

4. — Where was Са́ша yesterday morning?

____

— He was at work.

____

5. — Where was Ле́на yesterday morning?

____

— She was at the university.

____

5. Оди́н, одна́, одно́, одни́

Read Analysis Unit IV, 7 before you start doing this exercise. Fill in the blanks with the appropriate form of the number "one."

одни́	шо́рты	__________	мост
__________	дя́дя	__________	ма́йка
__________	ко́фта	__________	общежи́тие
__________	зда́ние	__________	брю́ки
__________	экза́мен	__________	сло́во
__________	пла́тье	__________	аэропо́рт
__________	ту́фли	__________	ку́ртка
__________	ле́кция	__________	окно́

Name ________________________________

UNIT 4 DAY 5

Listening

1. Practicing ICs 1, 2 and 3

A. Listen, fill in the missing words and mark the ICs in the following sentences.

1. — Ты не зна́ешь, где живёт ____________________?

— ____________________________________?

— Ле́на Анто́нова.

— Нет, не зна́ю.

2. — Ты не зна́ешь, в како́й кварти́ре живёт ______________?

— В шестна́дцатой.

3. — Ну, как ________________________, интере́сный?

— Нет, не о́чень.

4. — Те лю́ди говоря́т по-неме́цки и́ли по-францу́зски?

— По-мо́ему, ______________________________.

5. — Ты был в Москве́?

— Да, я жил там в __________________, октябре́ и ноябре́.

B. Read the dialogs out loud.

Writing

2. Prepositional case of personal and possessive pronouns

Write the answers to the following questions. (Refer to Analysis Unit IV, 2, 6.)

— О чём ты ду́маешь?
— Я ду́маю о них и их друзья́х.

A. О чём ты ду́маешь?

ты и твоя́ подру́га, он и его́ брат, они́ и их университе́т, вы и ва́ши друзья́, она́ и её ле́кция

B. О чём они́ говори́ли?

мы и на́ша кни́га, они́ и их би́знес, вы и ваш фильм, она́ и её сын, я и моя́ рабо́та

C. Write in two or three sentences what you really think about and what you talked about the other day.

3. Лежа́ть/стоя́ть

Translate the following sentences into Russian using the appropriate form of the verb лежа́ть (**лежа́**-) or стоя́ть (**стоя́**-). (Refer to Analysis Unit IV, 10.)

1. The oranges are in the refrigerator. (**лежа́**-)

2. The cups are on the shelf. (**стоя́**-)

3. The dictionary was on that shelf. (**стоя́**-)

Name ___________________________

4. The suitcase is in that room. (сто**я́**-)

____

5. The lamp is on the table. (сто**я́**-)

____

6. The money was on this magazine. (ле**жа́**-)

____

7. Your jeans are on the sofa. (ле**жа́**-)

____

4. Using the prepositional case

Complete the following sentences with the appropriate preposition **в/на/о**. (Refer to Analysis Unit IV, 4–6.)

> Моя́ маши́на стои́т ______________ (гара́ж) ➔
> Моя́ маши́на стои́т в гараже́.

1. Ты хо́чешь рабо́тать ___________________________?
(наш университе́т)

2. Мы ча́сто говори́м ___________________________.
(ва́ши друзья́)

3. Они́ спра́шивают ___________________________.
(ру́сские актёры)

4. Мы ре́дко у́жинаем ___________________________.
(америка́нские рестора́ны)

5. Вы чита́ли ___________________________?
(ру́сские музыка́нты)

6. Францу́зские кни́ги стоя́т ___________________________,
(э́ти по́лки)

а журна́лы лежа́т ___________________________.
(тот стол)

5. Оди́н, одна́, одно́, одни́

Ви́ктор Васи́льев asked Ми́ша: **«Ты оди́н? А где твоя́ подру́га?»** In this context **оди́н** means "alone." Fill in the blanks with the appropriate form of **оди́н**. (Refer to Analysis Unit IV, 7.)

1. — Андре́й, ты здесь ____________?

   — Да, ____________.

2. — Де́ти бы́ли до́ма ____________?

   — Нет, и ма́ма была́ до́ма.

3. — Ой, кака́я больша́я кварти́ра? Ви́ктор, ты живёшь здесь ____________?

   — Да, ____________.

4. — Ле́на и Ната́ша! Вы гуля́ете здесь ____________?!

   — Нет, вон на́ша ба́бушка.

5. — Где ты была́ ле́том?

   — В Ки́еве.

   — Как интере́сно! Ты была́ там ____________?

   — Нет, там сейча́с живёт мой брат.

6. — Приве́т, Ка́тя! Ты здесь ____________? А где Ви́ка?

   — Она́ в университе́те.

Name ______________________________

Listening

1. Recognizing names of places

A. Listen to the following conversations and fill in the missing words. Mark the ICs.

1. — Извини́те, э́то кли́ника?

— Э́то ______________________, а не кли́ника.

2. — Извини́те, э́то гости́ница?

— Э́то ______________________, а не гости́ница.

3. — Скажи́те, пожа́луйста, э́то стадио́н?

— Э́то ______________________, а не стадио́н.

4. — Извини́те, э́то музе́й?

— Э́то не музе́й, а ______________________.

5. — Скажи́те, пожа́луйста, э́то шко́ла?

— Э́то не шко́ла, а ______________________.

B. Read the dialogs out loud.

Writing

2. Verb conjugation

Give the full conjugation of отвеча́ть (отвеча́**й**-). (Refer to Analysis Unit II, 3, 7.)

Present Tense	Past Tense
я ______________	он ______________
ты ______________	она́ ______________
он, она́ ______________	оно́ ______________
мы ______________	они́ ______________
вы ______________	Infinitive
они́ ______________	______________

3. Using the Prepositional Case

Complete the following sentences using the phrases provided. (Refer to Analysis Unit IV, 6.)

1. В газе́те я чита́л(а) о ________________________________.
2. Моя́ сестра́ говори́ла о ________________________________.
3. Э́та кни́га о ________________________________.
4. Э́та статья́ о ________________________________.
5. Студе́нты спра́шивали о ________________________________.
6. Э́тот спекта́кль о ________________________________.

молоды́е био́логи, америка́нские врачи́, но́вые игру́шки, япо́нские маши́ны, совреме́нные шко́лы, ру́сские университе́ты

4. Prepositional case of personal pronouns

Complete the following sentences with the missing personal pronouns. (Refer to Analysis Unit IV, 2, 3.)

1. — Я не́ был сего́дня на ле́кции. Преподава́тель спра́шивал обо ________?

   — Да, спра́шивал.

2. Анто́н Па́влович Че́хов — ру́сский писа́тель. Вы мно́го зна́ете о ________?
3. — Кто э́то?

   — Э́то америка́нские студе́нты. По́мнишь, Ка́тя говори́ла о ________?

4. — Ле́том Том был в Москве́. Он ча́сто говори́т о ________.
5. — О чём ты ду́маешь? — Я ду́маю о ________. (ты)
6. — Здра́вствуйте, мы ва́ши но́вые студе́нтки.

   — Здра́вствуйте. Вы — Мари́на и Ната́ша? Еле́на Ива́новна говори́ла о

   ________.

Name ___________________________________

5. Months of the year

Write in the names of the months:

пе́рвый ме́сяц - янва́рь

пя́тый ме́сяц - ______________

седьмо́й ме́сяц - ______________

тре́тий ме́сяц - ______________

деся́тый ме́сяц - ______________

второ́й ме́сяц - ______________

восьмо́й ме́сяц - ______________

оди́ннадцатый ме́сяц - ______________

шесто́й ме́сяц - ______________

четвёртый ме́сяц - ______________

девя́тый ме́сяц – ______________

двена́дцатый ме́сяц - ______________

Name ______________________________

Listening

1. Unstressed o

A. Listen and repeat. Mark the ICs and underline all unstressed o's that are pronounced like /*a*/. (Refer to Analysis Unit I, 15.)

1. — Здра́вствуй, Ка́тя!

— Приве́т, Ви́ка!

— Ты не зна́ешь, о чём говори́л сего́дня профе́ссор?

— Зна́ю. О газе́тах и журна́лах.

— О каки́х?

— Об англи́йских.

2. — Скажи́те, пожа́луйста, где здесь банк?

— Банк на второ́м этаже́.

— А где кафе́?

— Кафе́ на восьмо́м этаже́.

B. Read the dialogs out loud.

Writing

2. Writing a letter

Read Та́ня's letter to Да́ша.

Дорога́я Да́ша!

Зна́ешь, вчера́ мы бы́ли на о́чень хоро́шем ве́чере в клу́бе. В бе́лом за́ле был рок-конце́рт. Игра́ла гру́ппа «Руби́новая ата́ка». На дискоте́ке мы танцева́ли в чёрном за́ле. Там был о́чень интере́сный молодо́й дидже́й. А что ты де́лаешь? Как ты отдыха́ешь? Как дела́ в университе́те? Интере́сно, где танцу́ют америка́нские студе́нты? На дискоте́ке, в клу́бах, в университе́те? А ты где танцу́ешь? Почему́ ты молчи́шь? Где твои́ пи́сьма, Да́ша?

Обнима́ю, твоя́ Та́ня

1. What *does* Та́ня write about in her letter? What *doesn't* she write about?

В письме́ Та́ня говори́т о ___________________________________

____

____

В письме́ Та́ня не говори́т о ___________________________________

____

____

Reference words: хоро́шая му́зыка, но́вый рок, отли́чный ве́чер, интере́сный клуб, но́вая програ́мма, вку́сные бутербро́ды, люби́мая му́зыка, хоро́ший дидже́й, её друг

2. Answer Та́ня's questions as if you were Да́ша.
   1. Как ты отдыха́ешь? ___________________________________
   2. Как дела́ в университе́те? ___________________________________
   3. Где танцу́ют америка́нские студе́нты? ___________________________________

      ____
   4. Почему́ ты молчи́шь? ___________________________________

      ____

3. Как отдыха́ют америка́нские студе́нты? Как вы отдыха́ете?

____

____

____

Reference words: танцева́ть, игра́ть на гита́ре, у́жинать в рестора́не, говори́ть о/ду́мать о…

Name ______________________________

Listening

1. Dictation

Mark stress and ICs as you write out the dictation. The sentences will be read three times.

1. ______________________________
____

2. ______________________________
____

3. ______________________________
____

Writing

2. Verb conjugation

Give the full conjugation of the following verbs. (Refer to Analysis Unit IV, 10 and Unit II, 4 and 7.)

молча́ть (мол**ча́**-) "be silent"

Present Tense	Past Tense
я ______	он ______
ты ______	она́ ______
он, она́ ______	оно́ ______
мы ______	они́ ______
вы ______	Infinitive
они́ ______	______

по́мнить (по́мн**и**-) "remember"

Present Tense	Past Tense
я ______	он ______
ты ______	она́ ______
он, она́ ______	оно́ ______
мы ______	они́ ______
вы ______	Infinitive
они́ ______	______

3. Vocabulary practice

Ке́вин is writing an e-mail to his new Russian pen pal. He doesn't have a dictionary handy and can't come up with a few Russian words and phrases. Could you help him?

Дорого́й Андре́й!

Как твои́ дела́? Я живу́ непло́хо. Я не о́чень ча́сто говорю́ по-ру́сски до́ма. Мой ма́ленький друг Ва́ня о́чень энерги́чный и весёлый.

Он ______________________.

always wants to speak English.

Мой ____________ друг Серге́й— музыка́нт и бизнесме́н.

new

____

I know very little about his business.

______________________.

Last night we were talking about American musicians.

А его́ сестра́, о́чень интере́сная де́вушка. Она́ часто́ спра́шивает:

____

"Do you know who used to live in your building?"

Ру́сские обы́чно зна́ют, кто жил в их до́ме ра́ньше, како́й там ра́ньше был магази́н и́ли кака́я гости́ница. А в Аме́рике мы об э́том ча́сто не ду́маем.

Пока́, Ке́вин.

Name ___________________________

4. **Оди́н, одна́, одно́, одни́**

Translate the following sentences into Russian. Keep in mind that **оди́н** can mean both "one" and "alone." (Refer to Analysis Unit IV, 7.) Remember that the English *and* can be translated into Russian as **и** or **а**, depending on whether you want to signal similarity or difference.

1. — Excuse me, where is a bank here?

____

— In that building over there. There is only one bank in our town.

____

2. Last night I was at the movies and my wife was at the university.

____

Мари́на was home alone.

____

3. — Hi, И́горь! Are you alone here? Where is your friend?

____

— She is in France. She works there now.

____

4. — What are you drawing?

____

— I'm drawing a zoo. Here is one black elephant, one yellow dog and one small red cat. They live together. And this old dog lives alone.

____

____

____

Name ______________________________

UNIT 5 WARM-UP

Listening

1. Numerals from 21 to 199

A. Listen, repeat and memorize the following multiples of ten.

20 — два́дцать /два́ццат^{ь}/
30 — три́дцать /тр^{ь}и́ццат^{ь}/
40 — со́рок /со́рак/
50 — пятьдеся́т /п^{ь}ид^{ь}ис^{ь}а́т/
60 — шестьдеся́т /шыз^{ь}д^{ь}ис^{ь}а́т/
70 — се́мьдесят /с^{ь}е́мд^{ь}ис^{ь}ат/
80 — во́семьдесят /во́с^{ь}имд^{ь}ис^{ь}ат/
90 — девяно́сто /д^{ь}ив^{ь}ино́ста/
100 — сто /сто/

B. Count in tens from 10 to 100 and back again.

C. The numbers 21, 32, 43, etc. are formed just as they are in English:

41, 42, 43… со́рок оди́н, со́рок два, со́рок три…
101, 102, 103… сто оди́н, сто два, сто три…
131, 132, 133… сто три́дцать оди́н, сто три́дцать два, сто три́дцать три…

Now you can count from 1 to 199 in Russian!!!

2. Ordinal numerals

A. Listen, repeat, and memorize.

20 — двадца́тый /дваацца́тый/
30 — тридца́тый / тр^{ь}ицца́тый/
40 — сороково́й /саракаво́й/
50 — пятидеся́тый /п^{ь}ит^{ь}ид^{ь}ис^{ь}а́тый/
60 — шестидеся́тый /шыс^{ь}т^{ь}ид^{ь}исьа́тый/
70 — семидеся́тый /с^{ь}им^{ь}ид^{ь}ис^{ь}а́тый/
80 — восьмидеся́тый /вас^{ь}м^{ь}ид^{ь}ис^{ь}а́тый/
90 — девяно́стый /д^{ь}ив^{ь}ино́стый/
100 — со́тый /со́тый/

B. The Russian ordinal numerals corresponding to 21st, 32nd, 43d, etc. are composed of the cardinal representing the ten and the ordinal representing the digit, just like in English: **два́дцать пе́рвый (-ая, -ое), со́рок шесто́й (-ая, -ое), сто пятьдеся́т девя́тый (-ая, -ое)**, etc.

Writing

3. Cardinal numerals

Write the following cardinal numbers in cursive. Note that numerals up to 40 (10, 20, 30) have **ь** at the end; those after 40 (50, 60, etc.) have **ь** in the middle of the word. (Refer to Appendix IV at the end of the Textbook.)

5	15	50
пят**ь**	пятна́дцат**ь**	пят**ь**деся́т
6	16	60
7	17	70
8	18	80
9	19	90

4. Ordinal numerals

Write the following ordinal numerals in figures.

1. два́дцать тре́тий дом - дом но́мер 23
2. со́рок восьма́я кварти́ра - кварти́ра но́мер 48
3. девяно́сто второ́й дом - __________
4. сто со́рок четвёртый авто́бус - __________
5. сто три́дцать пе́рвое общежи́тие - __________
6. шестьдеся́т девя́тый эта́ж - __________
7. пятьдеся́т седьма́я кварти́ра - __________
8. во́семьдесят восьма́я больни́ца - __________
9. сто девятна́дцатое общежи́тие - __________
10. со́рок пя́тая ко́мната - __________

Name ________________________________

Listening

1. Recognizing numerals

Listen to the following conversations and fill in the missing numbers. (Refer to Appendix IV at the end of the Textbook.) Listen and repeat.

1. — Извини́те, э́то больни́ца но́мер ______________________?

— Да.

— Спаси́бо.

2. — Скажи́те, э́то ______________ и́ли ______________ эта́ж?

— Э́то ______________ эта́ж.

— Спаси́бо.

3. — Извини́те, како́й э́то дом?

— По-мо́ему, э́то дом но́мер ______________________

— А где дом ______________________________?

— Извини́те, я не зна́ю.

4. — Ты не зна́ешь, где живёт Серге́й?

— У́лица Стромы́нка, дом ______________________

______________________________________.

— А кака́я кварти́ра?

— По-мо́ему, ______________________________.

— Спаси́бо.

5. — Извини́те, како́й э́то авто́бус?

— ______________________________________.

— ______________________________________?

— Нет, ______________________________________.

— Спаси́бо.

Writing

2. The wrong word out

Cross out one word in each group that doesn't belong.

a) внук, тётя, брат, ребёнок, ба́бушка, оте́ц, вну́чка, дя́дя

b) литерату́ра, геоме́трия, рисова́ние, неме́цкий язы́к, фи́зика, ле́кция, хи́мия

c) спра́шиваю, говори́м, стои́те, по́мнишь, у́жинала, лежа́т, обе́даем

d) рабо́та, оде́жда, по́лка, руба́шка, мужчи́на, мо́да, мили́ция

3. Turning a question into a statement

Бори́с: «Что он говори́т?» →
Я не понима́ю, что он говори́т.

Ке́вин: «Что мы де́лаем в мили́ции?»

____

Гали́на Ива́новна: «Что он де́лает в на́шей кварти́ре?»

____

Ма́ма: «Что он де́лает в Москве́?»

____

Та́ня: «Что ты хо́чешь?»

____

4. Deciphering sentences

Break the sentences into words, mark stresses and read them out loud.

1. ГалинаСемёновнаживётвквартиреномерстовосемнадцать.

____

____

2. Еёквартиранаодиннадцатомэтаже.

____

____

Name ______________________________

3. Онаживётнасорокчетвёртойулицевоченьбольшомгороде.

____

____

4. Сейчасонаработаетвстотринадцатойбольницеараньшеонаработалавдевяностодевятойбольнице.

____

____

5. Cardinal numerals

Write out the following numbers. Mark stress and read them out loud.

14 — четы́рнадцать

44 — ______________________________

66 — ______________________________

35 — ______________________________

81 — ______________________________

103 — ______________________________

28 — ______________________________

57 — ______________________________

179 — ______________________________

119 — ______________________________

Name ________________________________

Listening

1. Complete the dialogs

Listen and fill in the missing parts of the conversations. Listen and repeat.

A. Fill in the missing answers.

1. — Ты не зна́ешь, чей э́то ключ?

— По-мо́ему, ________________________________

2. — Извини́те, э́то ва́ша соба́ка?

— ________________________________

3. — Кто э́то?

— ________________________________

4. — Э́то дом твое́й ма́мы?

— ________________________________

B. Now fill in the missing questions:

1. — ________________________________

— Там ка́рты мое́й тёти.

2. — ________________________________

— Нет, э́то уче́бник геоме́трии.

3. — ________________________________

— Э́то моя́ маши́на.

4. — ________________________________

— Нет, моя́ сестра́ игра́ет. Э́то её гита́ра.

Writing

2. Expressing ownership

Write short dialogs. (Refer to Analysis Unit V, 1, 2.)

> ребёнок/ моя́ подру́га ➔
> — Чей э́то ребёнок?
> — Э́то ребёнок мое́й подру́ги.

1. маши́на/ мой па́па

 ____

 ____

2. о́фис/ наш ме́неджер

 ____

 ____

3. де́ньги/ Ле́на

 ____

 ____

4. шарф/ моя́ сестра́

 ____

 ____

5. дом/ их де́душка

 ____

 ____

6. кни́га/ ваш сын

 ____

 ____

Name ________________________________

7. учéбники/ твой брат

____

____

8. плáтье/ её бáбушка

____

____

9. кассéта/ э́та дéвушка

____

____

10. квартúра/ моя́ тётя

____

____

3. Check your knowledge of geography. (Using the genitive case)

Write out sentences that state the capital of the given countries. (Refer to Analysis Unit V, 2.)

> Столúца Пакистáна — Исламабáд.
> or: Исламабáд — столúца Пакистáна.

Стрáны: Уругвáй, Вьетнáм, Фрáнция, Австрáлия, Канáда, А́встрия, Кýба, Финля́ндия, Гермáния, Итáлия

Столúцы: Рим, Бонн, Хéльсинки, Монтевидéо, Оттáва, Вéна, Гавáна, Ханóй, Кáнберра, Парúж

1. ____

2. ____

3. ____

4. ______________________________

5. ______________________________

6. ______________________________

7. ______________________________

8. ______________________________

9. ______________________________

10. ______________________________

4. Discussing family relations (Practicing the genitive case)

(Refer to Analysis Unit IV, 12.)

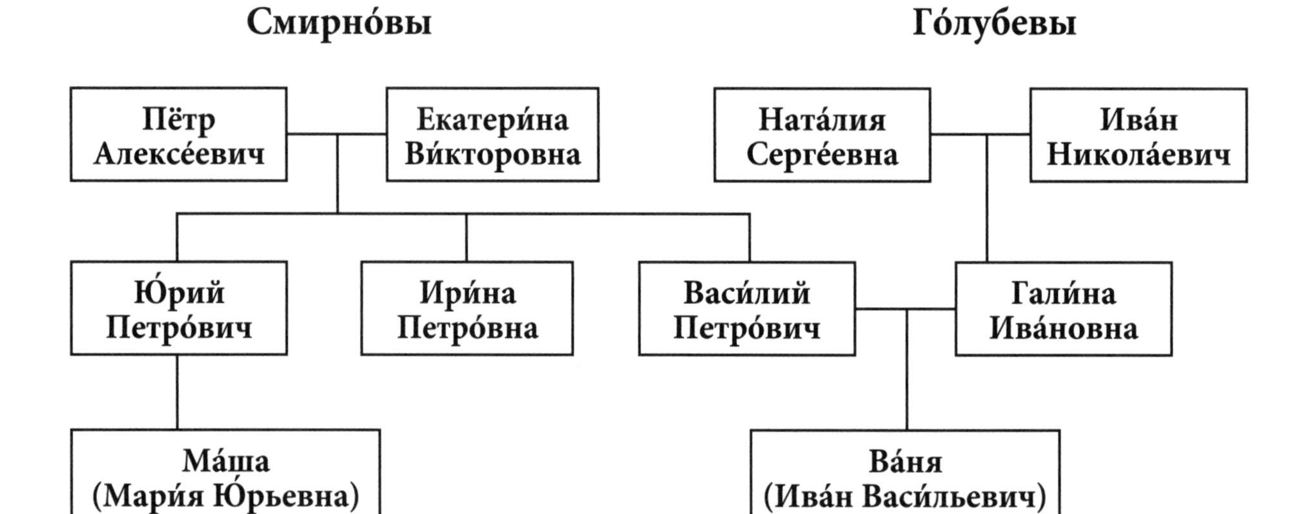

Э́то так и́ли нет?

	да	нет
1. Ири́на Петро́вна — сестра́ Ю́рия Петро́вича.		
2. Пётр Алексе́евич — брат Ма́ши.		
3. Екатери́на Ви́кторовна — ба́бушка Ма́ши.		
4. Васи́лий Петро́вич — сын Ива́на Никола́евича.		
5. Ю́рий Петро́вич — отец Ва́ни.		
6. Ма́ша — двоюро́дная сестра́ Ва́ни.		
7. Ива́н Никола́евич — двоюро́дный брат Васи́лия Петро́вича.		

Name ___________________________

Listening

1. Complete the dialogs

Fill in the missing words and read the dialogs out loud.

1. — Ты зна́ешь ___________________________?

— Да. Он живёт на ___________________________.

2. — Что ты рису́ешь?

— Сейча́с я рису́ю ______________________, а вчера́ я рисова́л

______________________ и ______________________.

3. — Вы лю́бите ___________________________?

— Нет. я пло́хо зна́ю ______________________. Я о́чень люблю́

___________________________.

4. — Что вы де́лали вчера́ ве́чером?

— Мы слу́шали ______________________. А вы лю́бите слу́шать

___________________________?

— Да. мы ча́сто слу́шаем ___________________________.

5. — Ты по́мнишь ___________________________?

— По́мню. Она́ ещё рабо́тает в ___________________________?

— Нет, сейча́с она́ рабо́тает в ______________________. Ты же

зна́ешь, как она́ лю́бит исто́рию.

Writing

2. Expressing possession (Using the genitive case)

Make up sentences using the words below. (Refer to Analysis Unit V, 1, 2.)

Э́то письмо́ Ми́ши.

квартúра	мáма
письмó	пáпа
рюкзáк	сестрá
сýмка	брат
дáча	Мúша
кóмната	Кéвин
квартúра	Васúльев
дом	Áнна Борúсовна

1. ______________________________

2. ______________________________

3. ______________________________

4. ______________________________

5. ______________________________

6. ______________________________

7. ______________________________

8. ______________________________

3. Recognizing cases

Read the sentences and indicate the case of the underlined words. (Refer to Analysis Unit V, 5.)

nom. gen. gen.
Вот книга вáшего пáпы.

1. Рáньше мы жúли в дóме их бáбушки.
2. Я пóмню мáму твоéй подрýги.
3. На лéкции мы говорúли о городáх Россúи.
4. Двоюрóдная сестрá моегó дрýга — антропóлог. Ты знáешь её?
5. Сейчáс я читáю кнúгу о рýсских фúзиках.

Name ________________________________

6. <u>Мой муж</u> лю́бит <u>му́зыку Мо́царта</u>.
7. <u>Уче́бник геогра́фии</u> лежи́т на <u>той по́лке</u>.

4. Verb practice

Write the correct forms of the verb люби́ть (люб**и**-). (Refer to Analysis Unit V, 10.) Pay attention to the tense of the utterances.

1. — Что ____________________ твои́ де́ти?

   — Пи́ццу и моро́женое.

2. — Вы ____________________ футбо́л?

   — Моя́ жена́ ____________________, а я не ____________________.

3. — Ра́ньше твоя́ до́чка о́чень ____________________ шокола́д. А

   сейча́с ____________________?

   А сейча́с не ____________________.

4. — Мы ча́сто гуля́ем в э́том па́рке. Мы о́чень

   ____________________ приро́ду.

   — И мы ____________________ здесь гуля́ть.

5. — Ты ____________________ чай?

   — Нет.

   — А ко́фе?

   — И ко́фе не ____________________?

   — А что же ты ____________________?

   — Сок и во́ду.

6. Мои́ роди́тели ча́сто говоря́т об актёрах. Они́ о́чень

   ____________________ теа́тр, а ра́ньше они́

   ____________________ спорт.

7. — Я по́мню, что ра́ньше ваш сын о́чень цирк.

   — Он и сейча́с ____________________ цирк.

Name ______________________________

Listening

1. Recognizing telephone numbers

Listen to the following telephone conversations and write down the telephone numbers you hear them. Read the dialog out loud.

1. — Здра́вствуйте. Све́та до́ма?

— Кака́я Све́та? Све́та здесь не живёт.

— Э́то ______________________?

— Нет.

— Извини́те.

2. — Здра́вствуйте, э́то гости́ница «Ле́то»?

— Да.

— В ко́мнате 109 живёт Оле́г Петро́вич За́йцев. Како́й его́ но́мер телефо́на?

— ____.

— Спаси́бо.

— Пожа́луйста.

3. — Алло́! Приве́т, Ри́та!

— Здра́вствуйте. Э́то не Ри́та, э́то Лари́са.

— Э́то ______________________?

— Да. Ри́та сейча́с на ю́ге, на Чёрном мо́ре. А я её сестра́.

— До́брый день! Э́то говори́т Тама́ра. Я подру́га Ри́ты. Я сейча́с в То́кио,

я здесь рабо́таю. Вот мой телефо́н: ______________________

— Хорошо́.

— Спаси́бо, до свида́ния.

— До свида́ния.

Writing

2. Accusative case of personal pronouns

Complete the sentences using the pronouns in the correct form. (Refer to Analysis Unit V, 6.)

1. — Как зову́т э́ту де́вушку?

   — По-мо́ему ___________ зову́т Ната́ша. (она́)

2. Мы говори́ли по-ру́сски, и америка́нцы понима́ли ______ хорошо́. (мы)
3. Серге́й не́ был на экза́мене. Преподава́тель хо́чет ________ ви́деть. (он)
4. Я сего́дня так мно́го говорю́ о на́ших пробле́мах! Вы ___________ понима́ете? (я)
5. — Приве́т! Как дела́? Как рабо́та?

   — Извини́те, но я ___________ не зна́ю. (вы)

6. Вот фотогра́фия твое́й гру́ппы. ___________ ты здесь по́мнишь? (кто)
7. Ну, как твоя́ пе́рвая ле́кция? Студе́нты, ___________ слу́шали? (ты)
8. Конфе́ты! Кто ___________ не лю́бит! (они́)
9. — А кто э́ти лю́ди? Они́ твои́ друзья́?

   — Нет, я ___________ не зна́ю. (они́) Э́то друзья́ моего́ бра́та.

10. — Еле́на Влади́мировна! Здра́вствуйте! По́мните ___________ (мы)? Мы отдыха́ли вме́сте на Байка́ле.

    — Здра́вствуйте, коне́чно, я ___________ по́мню (вы). Как ва́ши дела́?

3. Что вы зна́ете? Что вы лю́бите?

Write the subjects you like, the ones you don't like so much and the ones you used to like. Write what you would like to read about, what you think you know well and what you don't know so well.

Name ___________________________

геогра́фия	Я непло́хо зна́ю геогра́фию,
лингви́стика	Я о́чень люблю́ лингви́стику.
матема́тика	___________________________
грамма́тика	___________________________
компью́теры	___________________________
литерату́ра	___________________________
хи́мия	___________________________
исто́рия Росси́и	___________________________
исто́рия ва́шего шта́та	___________________________
геогра́фия Аме́рики	___________________________

4. The accusative case of demonstrative and possessive pronouns

Combine the following groups of words to create complete sentences. (Refer to Analysis Unit V, 6, 7.)

> Та́ня, сестра́, зову́т, моя́ ➔
> Мою́ сестру́ зову́т Та́ня.

1. Ната́ша, подру́га, зову́т, моя́

   ____

2. Люби́ть, э́та, мой, кни́га, бра́тья

   ____

3. Знать, вы, ба́бушка, на́ша?

   ____

4. Статья́, он, чита́ть, э́та, не

   ____

5. Тот, ты, знать, челове́к?

   ____

6. Хоте́ть, я, руба́шка, та

____

7. Не, Ве́ра, его́, по́мнить, сестра́

____

8. Райо́н, пло́хо, они́, знать, ваш

____

9. Письмо́, ты, моё, чита́ть?

____

Name ______________________________

Listening

1. Listening comprehension

Listen to the conversation as many times as you need and mark the statements below as true or false (write **да** or **нет**).

	да/нет
1. Молодóго человéка зовýт Йгорь Петрóв.	___________
2. Йгорь не знáет, что Оксáна живёт в Петербýрге.	___________
3. Егó женý зовýт Ирина.	___________
4. Марина хорошó знáет Оксáну.	___________
5. Марина игрáет на скрипке в ресторáне.	___________
6. Ирина рабóтает в ресторáне.	___________
7. Телефóн Оксáны: 111-73-38	___________

Writing

2. Working with a grade school class schedule (The genitive case: adjectives and nouns)

In Russian schools students have a different schedule every day. 7th grade students may have geography class two times a week, English class three times a week, literature class two times a week and so on. Fill in the endings below to complete these class schedules. (Refer to Analysis Unit V, 2, 8.) Make sure to check the Nominative form and the gender of each noun; refer to Unit V vocabulary list.

урóк - class in grade school

	Понедéльник	Втóрник	Средá
1.	Урóк геогрáфии __	Урóк геомéтр __	Урóк хи́м __
2.	Урóк англи́йск __ язык_	Урóк литератýр __	Урóк áлгебр __
3.	Урóк áлгебр __	Урóк немéцк __ язык_	Урóк рýсск __ язык_
4.	Урóк рýсск __ язык_	Урóк англи́йск __ язык_	Урóк немéцк __ язык_
5.	Урóк рисовáни __	Урóк геогрáф __	Урóк истóр __

Четве́рг	Пя́тница
1. Уро́к исто́р __	**1.** Уро́к ру́сск __ язык_
2. Уро́к литерату́р __	**2.** Уро́к а́лгебр __
3. Уро́к англи́йск __ язык_	**3.** Уро́к хи́м __
4. Уро́к фи́зик __	**4.** Уро́к фи́зик __
5. Уро́к ру́сск __ язык_	**5.** Уро́к геоме́тр __

3. Verb conjugation

Conjugate the following stems. Mark stress. (Refer to Analysis Unit V, 10.)

смотре́ть (смотр**е**-) "watch, look" (x over **е**)

Present Tense		Past Tense	
я	______	он	______
ты	______	она́	______
он, она́	______	оно́	______
мы	______	они́	______
вы	______	Infinitive	
они́	______		______

молча́ть (мол**ча́**-) "be silent"

Present Tense		Past Tense	
я	______	он	______
ты	______	она́	______
он, она́	______	оно́	______
мы	______	они́	______
вы	______	Infinitive	
они́	______		______

Name ________________________________

фотографи́ровать (фотографи́р**ова**-)

Present Tense		Past Tense	
я	____________	он	____________
ты	____________	она́	____________
он, она́	____________	оно́	____________
мы	____________	они́	____________
вы	____________	Infinitive	
они́	____________		____________

спроси́ть (спрос**и**-) "ask a question"

Present Tense		Past Tense	
я	____________	он	____________
ты	____________	она́	____________
он, она́	____________	оно́	____________
мы	____________	они́	____________
вы	____________	Infinitive	
они́	____________		____________

4. Verb practice

Supply the correct forms of the verb ви́деть (ви́д**е**-) "to see". Pay attention to the tense of the utterances.

1. — Вы ____________ э́тот неме́цкий фильм?

   — Да, я ____________ его́ ра́ньше.

2. Ви́ктор Петро́вич не по́мнит, где и когда́ он ________ э́того челове́ка.
3. — Вы не ____________, что там лежи́т?

   — Нет, я не ____________.

4. Ты ____________ то краси́вое зда́ние? Э́то но́вая библиоте́ка.

5. Наш преподава́тель хо́чет ________________ вас. Он чита́л ва́шу статью́.

6. — Как ты ду́маешь, твои́ друзья́ ____________________ нас?

— По-мо́ему, ____________________.

5. Indicating possession (Using the genitive case)

Make up sentences using the words below. Using the words in the chart, say that words in the first column belong to persons from the fourth one. Use possessive pronouns and adjectives from the second and third columns. The first one is done for you. (Refer to Analysis Unit V, 7–8.)

Э́то письмо́ моего́ ста́рого дру́га.

письмо́	мой	ста́рый	друг
слова́рь	ваш	но́вый	студе́нт
дом	наш	популя́рный	архите́ктор
кварти́ра	твоя́	хоро́шая	подру́га
пла́тье	её	люби́мая	сестра́
ма́йка	его́	знако́мая	спортсме́нка
велосипе́д	их	стра́нный	сын
кни́га	э́та	совреме́нная	журнали́стка
биле́т	э́тот	молодо́й	челове́к

Name ________________________________

Listening

1. Complete the dialogs

Listen to the following conversations and fill in the missing words.

1. — Ты ________________ чита́ть по-ру́сски?

— Да, я люблю́ чита́ть и ________________, а ________________ не люблю́.

— И я не ________________ писа́ть. А мой друг лю́бит. Он

ча́сто ________________ пи́сьма по-ру́сски.

2. — Что ты де́лаешь?

— Перевожу́ ________________.

— О чём ________________ статья́?

— О рабо́те ________________ в Росси́и. А ты что де́лаешь?

— А я ________________ и ________________ телеви́зор.

3. — Ты лю́бишь ________________ ?

— Я пло́хо ________________ зна́ю. Я чита́ла то́лько

Толсто́го ________________.▼

▼*The names Толсто́й and Достое́вский take adjectival endings:* ***Толсто́й → рома́н Толсто́го***

4. — Ты ви́дела ________________?

— Да. А ты?

— А я нет. О́сенью экза́мен. Я сейча́с о́чень мно́го ________________ и

________________. О чём был фильм?

— О би́знесе в Росси́и. О ________________.

По-мо́ему, фильм не о́чень интере́сный.

Writing

2. How would you say it in Russian?

How would you react in the following situations? Write down your reactions according to the given prompts.

1. Челове́к спра́шивает вас: «Э́то ваш чемода́н?»
   a. Э́то ваш чемода́н. → *Да, э́то мой чемода́н.*
   b. Э́то не ваш чемода́н. → *Нет, э́то не мой чемода́н.*
   c. Вы не понима́ете, что он говори́т. → *Извини́те, я не понима́ю.*

2. Де́вушка спра́шивает вас: «Где здесь университе́т?»
   a. Вы не зна́ете. ______________________________
   b. Вы зна́ете. ______________________________

3. Ка́тя хо́чет смотре́ть францу́зский фильм. Её друг хо́чет смотре́ть футбо́л.
   a. Вы — Ка́тя. ______________________________
   b. Вы — друг Ка́ти. ______________________________

4. Ната́ша спра́шивает вас, где её уче́бник.
   a. Вы не зна́ете. ______________________________
   b. Вы его́ ви́дели, но не по́мните где. ______________________________

      ____
   c. Вы ду́маете, что уче́бник лежи́т на по́лке. ______________________________

      ____

5. Ва́ша подру́га спра́шивает вас: «Что ты де́лал(а) сего́дня?»
   Что вы де́лали сего́дня? (Write 2-5 lines).

   ____

   ____

   ____

Name ____________________________

____

____

____

____

3. Как его́ зову́т?

Try to recall the names of the characters in the video. Use the appropriate pronouns in your answers.

— Ты не зна́ешь, как зову́т хозя́ина Ке́вина?
— **Его́** зову́т Смирно́в.

1. — Ты не зна́ешь, как зову́т сы́на Смирно́ва?

   — ____

2. — Ты не зна́ешь, как зову́т америка́нского фото́графа?

   — ____

3. — Ты не зна́ешь, как зову́т ма́му Та́ни?

   — ____

4. — Ты не зна́ешь, как зову́т дру́га Та́ни?

   — ____

5. Verb conjugation

Conjugate the following verbs.

переводи́ть (перевод**и**-) "translate" (x over **и**)

Present Tense	Past Tense
я ____________________	он ____________________
ты ____________________	она́ ____________________
он, она́ ____________________	оно́ ____________________

мы ______________________ они́ ______________________

вы ______________________ Infinitive

они́ ______________________ ______________________

ре́зать (ре́за-) "cut"

Present Tense	Past Tense
я ______________________	он ______________________
ты ______________________	она́ ______________________
он, она́ ______________________	оно́ ______________________
мы ______________________	они́ ______________________
вы ______________________	Infinitive
они́ ______________________	______________________

лови́ть (лови-) "catch" (x over и)

Present Tense	Past Tense
я ______________________	он ______________________
ты ______________________	она́ ______________________
он, она́ ______________________	оно́ ______________________
мы ______________________	они́ ______________________
вы ______________________	Infinitive
они́ ______________________	______________________

Name ________________________________

Listening

1. Dictation

Mark stress and ICs as you write out the dictation.

1. ____

____

2. ____

____

3. ____

____

Writing

2. Что, когда́ и о чём мы чита́ли?

Fill in the proper grammatical endings. Mark stress. (Refer to Analysis Unit V, 5.)

1. В перв ___ урок ___ мы читали письм ___ Даш ___ о её университет ___ в Америк ___.
2. Во втор ___ урок ___ мы читали письм ___ Тан ___ о её дел ___ (pl.) в Москв ___.
3. В трет ___ урок ___ мы читали стать ___ Даш ___ о студенческ ___ мод ___ в Америк ___.
4. В четвёрт ___ урок ___ мы читали стать ___ корреспондент ___ Иван ___ Кошкин ___ о нов ___ музыкальн ___ программ ___ в клуб ___ «Коралл».
5. В пят ___ урок ___ мы читали истори ___ о молод ___ бизнесмен ___ и его нов ___ квартир ___.

3. Verb conjugation

Conjugate the following verbs. (Refer to Analysis Unit V, 10, 12.)

x
плати́ть (плат**и**-) “pay”

Present Tense

я ____________________

ты ____________________

он, она́ ____________________

мы ____________________

вы ____________________

они́ ____________________

Past Tense

он ____________________

она́ ____________________

оно́ ____________________

они́ ____________________

Infinitive

____

x
жить (жив-)

Present Tense

я ____________________

ты ____________________

он, она́ ____________________

мы ____________________

вы ____________________

они́ ____________________

Past Tense

он ____________________

она́ ____________________

оно́ ____________________

они́ ____________________

Infinitive

____

x
писа́ть (пис**а**-)

Present Tense

я ____________________

ты ____________________

он, она́ ____________________

Past Tense

он ____________________

она́ ____________________

оно́ ____________________

Name ______________________________

мы ______________________ они́ ______________________

вы ______________________ Infinitive

они́ ______________________ ______________________

4. Word puzzle

Can you find all 15 words?

The words are different parts of speech.

л	и	м	о	н	о	с
х	о	к	н	о	б	и
д	р	у	г	ш	е	н
е	ж	с	т	у	л	и
в	**е**	**с**	**ё**	**л**	**ы**	**й**
у	н	у	ж	е	й	ф
ш	а	м	о	т	е	у
к	р	к	т	о	м	а
а	б	а	р	м	о	й

5. Using the prepositional case

Shorten the following sentences as indicated. Remember that titles of films, books, newspapers, etc. are declined if they stand alone, but they are not declined if they are preceded by a noun. (Refer to Analysis Unit V, 14.)

Мы бы́ли в магази́не «Ва́нда». ➔
Мы бы́ли в «Ва́нде».

1. Мы лю́бим у́жинать в кафе́ «Дру́жба».

____

2. Я чита́ла интере́сную статью́ в журна́ле «Ру́сское сло́во».

____

3. Ты чита́ешь газе́ту «Панора́ма»?

____

4. Ты лю́бишь смотре́ть програ́мму «До́брое у́тро»?

____

5. Вы ви́дели фильм «Мужчи́на и же́нщина»?

____

6. Мы хоти́м смотре́ть бале́т «Щелку́нчик» (“The Nutcracker”).

____

Name ________________________________

UNIT 5 DAY 8

Listening

1. Practicing ICs 1, 2, 3 and 4

A. Listen to the following conversations, mark the ICs (stress syllable of the most important word).

1. — Что ты де́лаешь?

— Я пишу́ упражне́ние. А ты?

— А я рису́ю на́шу соба́ку.

2. — Ты не зна́ешь, в како́й кварти́ре живёт Са́ша Кузнецо́в?

— В три́дцать восьмо́й.

— Спаси́бо.

3. — Что вы де́лали на уро́ке?

— Мы смотре́ли ви́део, писа́ли упражне́ние и переводи́ли статью́.

4. — Ты хо́чешь смотре́ть кино́?

— Хочу́.

— А твой де́душка?

— А он не хо́чет.

B. Read the dialogs out loud.

Writing

2. Verb conjugation

Conjugate the following verbs. These verbs are for practice only and need not be learned at this stage. Mark stress throughout. (Refer to Analysis Unit V, 9-12.)

организова́ть (органи**зова́**-) "organize"

Present Tense	Past Tense
я ______________	он ______________
ты ______________	она́ ______________
он, она́ ______________	оно́ ______________

мы ______________________ они́ ______________________

вы ______________________ Infinitive

они́ ______________________ ______________________

x
дыша́ть (ды**ша**-)

Present Tense	Past Tense
я ______	он ______
ты ______	она́ ______
он, она́ ______	оно́ ______
мы ______	они́ ______
вы ______	Infinitive
они́ ______	______

x
носи́ть (нос**и**-) "carry"

Present Tense	Past Tense
я ______	он ______
ты ______	она́ ______
он, она́ ______	оно́ ______
мы ______	они́ ______
вы ______	Infinitive
они́ ______	______

3. Asking questions

Ask questions to the underlined parts of the sentences. Don't forget to change the pronouns as needed.

> Меня́ зову́т И́горь Ивано́в ➔
> Как тебя́ зову́т?

Name ______________________________

1. Э́та де́вушка живёт в Росси́и.

____

2. Её зову́т Све́та Ивано́ва.

____

3. Она́ — преподава́тельница.

____

4. Мой брат зна́ет э́ту де́вушку.

____

5. Све́та лю́бит слу́шать класси́ческую му́зыку.

____

6. Обы́чно Све́та рабо́тает у́тром и днём.

____

7. А ве́чером она́ чи́тает, отдыха́ет, смо́трит телеви́зор и слу́шает му́зыку.

____

4. Telephone conversations

Put together a telephone conversation between Та́ня and Ми́ша using the lines below for reference.

Как дела́?	Чита́ла.	Да, я. Здра́вствуй, Ми́ша.
Ты чита́ла моё письмо́?	Я хочу́ тебя́ ви́деть.	Норма́льно.
Я не могу́. Я о́чень занята́.	Хорошо́. Ну, пока́?	Лу́чше, три.
Пока́.	Отли́чно. Где?	Ну, пожа́луйста.
Ла́дно, когда́?	Ты ещё се́рдишься?	Я тебя́ о́чень прошу́.
Алло́!	Час дня - норма́льно?	Я о́чень хочу́ тебя́ ви́деть.
В музе́е.	Та́ня, э́то ты?	

Та́ня: — Алло́!

Ми́ша: — Та́ня, э́то ты?

Та́ня: ______________________________

Ми́ша: ______________________________

Та́ня: ______________________________

Ми́ша: ______________________________

Та́ня: ______________________________

Ми́ша: ______________________________

Та́ня: ______________________________

Ми́ша: ______________________________

Ми́ша: ______________________________

____

____

Та́ня: ______________________________

Ми́ша: ______________________________

Та́ня: ______________________________

Ми́ша: ______________________________

Та́ня: ______________________________

Ми́ша: ______________________________

Та́ня: ______________________________

5. Ordinal numerals: spelling

Fill in the missing letters. Mark stress throughout. (Refer to Appendix IV at the end of the Textbook.)

два____цатый

сем____десят трет____й

сороков____й

д____вяносто шест____й

сто дв____надцатый

дев____тнадцатый

п____тнадцатый

сто четвёрт____й

шес____ьдесят втор____й

сем____десятый

сор____к се____ьмой

вос____мидесятый

Name ________________________________

6. Я пишу́ о дру́ге/ подру́ге

Write a story about your friend. (5–10 sentences) What is his/her name? Where does s/he live? If s/he is a student, what year is s/he in? What does s/he like? What does s/he want? Can s/he speak Russian or other foreign languages?

____

____

____

____

____

____

____

____

____

____

____

Name ________________________________

Listening

1. Cardinal Numerals: hundreds

Listen and repeat. Memorize the hundreds.

200 - две́сти /две́сьтьи/

300 - три́ста /трьи́ста/

400 - четы́реста /читы́рьиста/

500 - пятьсо́т /пьитсо́т/

600 - шестьсо́т /шыссо́т/

700 - семьсо́т /сьимсо́т/

800 - восемьсо́т /васьимсо́т/

900 - девятьсо́т /дьивьитсо́т/

Writing

2. Cardinal numerals

Read the numerals aloud and write them out in numbers:

семьсо́т два́дцать де́вять	729
четы́реста три́дцать два	______________
две́сти два́дцать во́семь	______________
девятьсо́т девяно́сто шесть	______________
пятьсо́т пятна́дцать	______________
три́ста три	______________
шестьсо́т шестьдеся́т де́вять	______________
восемьсо́т во́семьдесят	______________
семьсо́т со́рок четы́ре	______________
четы́реста три́дцать	______________

3. Discussing food (New vocabulary)

A. Translate the following words into English. Look up for new words in the Unit VI vocabulary.

бефстро́ганоф	________________	колбаса́	________________
бифште́кс	________________	хлеб	________________
борщ	________________	ма́сло	________________
пи́цца	________________	помидо́ры	________________
жа́реная ку́рица	________________	икра́	________________
макаро́ны	________________	ке́тчуп	________________
спаге́тти	________________	майоне́з	________________
котле́та	________________	молоко́	________________
омле́т	________________	сок	________________
плов	________________	пи́во	________________
ры́ба	________________	вино́	________________
зелёный сала́т	________________	вода́	________________
карто́шка	________________	шокола́д	________________
мя́со	________________	моро́женое	________________
сыр	________________	конфе́ты	________________
молоко́	________________	экле́р	________________
апельси́ны	________________	бана́ны	________________

B. Read the conversation below and write a similar dialog (5-8 lines) using the words from Exercise A. Pay attention to the use of cases.

В кафе́

Официа́нт: — Что вы хоти́те?

Ни́на: — Я хочу́ жа́реную ку́рицу и карто́шку.

Ната́ша: — А я хочу́ суп и ещё, пожа́луйста, ры́бу. Я её о́чень люблю́.

Официа́нт: — Так, что ещё?

Ни́на: — Ещё, пожа́луйста, ко́фе и моро́женое.

Ната́ша: — А я хочу́ чай и экле́р.

Name ____________________

____

____

____

____

____

____

____

____

C. You are working as the head-cook at a Russian hotel that hosts American exchange students you must come up with a menu for them for two days. Use the list of words from part A.

За́втрак	За́втрак
______________	______________
______________	______________
______________	______________
______________	______________
Обе́д	**Обе́д**
______________	______________
______________	______________
______________	______________
У́жин	**У́жин**
______________	______________
______________	______________
______________	______________

D. Что вы лю́бите? Name your favorite foods and drinks. Make sure to use the accusative!

Я люблю́ ____

____

Name ______________________________

Listening

1. Recognizing dates and days of the week

Listen to the following conversations and fill in the missing words. Write out the numbers. (Refer to Analysis Unit VI, 8.)

1. — Какóй сегóдня день?

— Сегóдня — ______________________________.

— А какóе сегóдня числó?

— Сегóдня — ______________________________.

2. — Сегóдня — ______________________________?

— Нет, сегóдня — ______________________________.

3. — Какóй день ______________________________?

— ______________________________.

4. — Трéтье октябрá — э́то ______________________________?

— Трéтье октябрá — э́то ______________________________.

5. — Какóй сегóдня день?

— Сегóдня — ______________________________.

— А я дýмала, что сегóдня — ______________________________.

Writing

2. Days of the week

A. Answer the following questions in full sentences.

1. Какóй сегóдня день?

____

2. Какóе сегóдня числó?

____

3. Како́й ваш люби́мый день неде́ли?

____

4. Како́й день неде́ли вы не лю́бите?

____

3. Describing your habits

1. Что вы де́лаете ка́ждый день?

____

2. Что вы де́лаете ка́ждое у́тро?

____

3. Что вы де́лаете ка́ждую суббо́ту?

____

4. Что вы де́лаете ка́ждую неде́лю?

____

5. Что вы де́лаете ка́ждый ме́сяц?

____

4. Recognizing cases

Read the sentences and mark the cases of the underlined words. (Refer to Appendix I at the end of the Textbook). Pay attention to the endings of the nouns **and** to the functions of the nouns in the sentence.

prep.
А́нна Бори́совна рабо́тает в шко́ле.

1. Ка́ждую неде́лю Ми́ша и Та́ня обе́дают в кафе́.
2. Ке́вин покупа́ет ру́сские сувени́ры.
3. Ле́на лю́бит слу́шать америка́нскую му́зыку.
4. Ми́ша ча́сто говори́т о ветерина́рном би́знесе.

Name ________________________________

5. Та́ня не лю́бит <u>брасле́ты</u>.
6. Та́ня ви́дела дру́га <u>Ле́ны</u>.
7. Да́ша писа́ла об <u>америка́нских студе́нтах</u>.
8. Ке́вин смотре́л <u>фотоальбо́м</u> в <u>кварти́ре Смирно́ва</u>.

5. Suffixes -ция и -ура

Compare the corresponding Russian and English suffixes:

-ция	**-tion**
револю**ция**	revolu**tion**
тради**ция**	tradi**tion**

-ура	**-ure**
архитект**у́ра**	architect**ure**
литерат**у́ра**	literat**ure**

Can you guess the meaning of the following words?

коопера́ция	__________	карикату́ра	__________
делега́ция	__________	фигу́ра	__________
пози́ция	__________	температу́ра	__________
пропо́рция	__________	культу́ра	__________
ликвида́ция	__________	процеду́ра	__________
эмансипа́ция	__________	мануфакту́ра	__________
опера́ция	__________	скульпту́ра	__________
деклара́ция	__________		

Name ______________________________

Listening

1. Asking questions

Listen to the following sentences, write them down, then compose two questions about the contents of each sentence.

> Ми́ша рабо́тает в кли́нике. Где рабо́тает Ми́ша? Кто рабо́тает в кли́нике?

1. ______________________________
____
____

2. ______________________________
____
____

3. ______________________________
____
____

4. ______________________________
____
____

Writing

2. Translation

Translate the following text into Russian.

Marina is a well-organized (о́чень организо́ванный) student. She writes in English every day. She works at the library every morning. Marina watches films every Friday. She goes shopping (buys groceries) every Saturday and writes letters every Sunday. She calls (her) mother every week.

____

____

____

____

____

____

3. Когда́ и где была́ Да́ша?

Below is a page from Да́ша's notebook. Write where and when she was last week.

Пн. Университе́т
Вт. библиоте́ка
истори́ческий музе́й: вы́ставка
Ср. университе́т
Чт. банк, кино́
Пт. магази́н, по́чта
Сб. дискоте́ка
Вс. до́ма

В понеде́льник Да́ша была́ в университе́те.

____

____

____

____

____

____

____

____

Name ________________________________

4. Extending sentences

Extend the following sentences as shown in the model. Be creative and write at least two sentences. (Refer to Analysis Unit VI, 9.) Pay attention to cases.

> Ма́ма гото́вит. Что? Кому́?
> Ма́ма гото́вит обе́д сы́ну.
> Ма́ма гото́вит у́жин ко́шке.

1. Да́ша писа́ла. Кому́? О чём?

____

____

2. Ва́ня помога́ет. Кому́? Что де́лать?

____

____

3. Ле́на говори́ла. Кому́? О чём?

____

____

4. Ке́вин отдыха́л. Где? Когда́?

____

____

5. Я чита́ю. Что? О чём?/ О ком?

____

____

6. Я звони́л(а). Кому́? Когда́?

____

____

7. Па́па чита́л. Кому́? Что?

____

____

5. Using the dative case

Complete the following sentences using personal pronouns in the dative case. (Refer to Analysis Unit VI, 11.)

1. Папа́ гото́вит у́жин. До́чка ___________ помога́ет.

2. На́ша ко́шка лю́бит молоко́ и ры́бу. Мы не покупа́ем ______ консе́рвы.

3. Я хочу́ купи́ть ___________ ро́зы. Ты их лю́бишь?

4. Роди́тели Да́ши живу́т в Росси́и. Она́ пи́шет ___________ пи́сьма.

5. — Мы ___________ (вы) звони́ли вчера́ ве́чером.

— Мы бы́ли в теа́тре. А мы ___________ (вы) звони́ли вчера́ у́тром.

— Пра́вда? И вы ___________ (мы) звони́ли? Мы бы́ли на рабо́те.

6. — Что ты де́лаешь?

— Я перевожу́ статью́, а Ма́ша ___________ помога́ет.

Name ______________________________

Listening

1. Dialog memorization

Memorize the following dialog (see DVD):

Ми́ша: — Хочешь[3], я куплю́ тебе́ э́тот брасле́т?

Та́ня: — Нет[1], спасибо[2]. Ты же зна́ешь, я не люблю[2] брасле́ты.

Ми́ша: — Таня[2], мне нра́вится вот э́тот шарфик[1]. Можно[3] я тебе́ его́ куплю́?

Та́ня: — Что[2] ты, Ми́ша! Э́то о́чень дорого[2].

Ми́ша: — Да ну[1], ерунда[2]! Ну, скажи[2], он тебе́ нравится[3]?

Та́ня: — Да[1], очень[2]!

Writing

2. Perfective / Imperfective verbs

A. Supply the perfective form of the following verbs (**infinitives and stems**). Memorize the pairs. (Refer to Analysis Unit VI, 4.)

де́лать (де́л**ай**-) ______________________

покупа́ть(покупа́**й**-) ______________________

помога́ть (помога́**й**-) ______________________

писа́ть (пис**а**[x]-) ______________________

чита́ть (чита́**й**-) ______________________

реша́ть (реша́**й**-) ______________________

отдыха́ть (отдыха́**й**-) ______________________

B. Now supply the imperfective form of the following verbs (**infinitives and stems**), and memorize the pairs.

______________________ позвони́ть (позвон**и́**-)

______________________ сказа́ть (сказ**а**-) [x]

______________________ помо́чь (irreg.)

______________________ посмотре́ть (посмотр**е**-) [x]

______________________ купи́ть (куп**и**-) [x]

3. Using the imperfective aspect

Explain the usage of the imperfective aspect. Indicate if the action expresses repetition, process or statement of fact. (Refer to Analysis Unit VI, 1.)

1. Твоя́ ма́ма иногда́ звони́т моей ма́ме. ______________________
2. — Что ты сейча́с де́лаешь?

   — Я готовлю́ у́жин. А ты? ______________________

   — А я слу́шаю му́зыку. ______________________
3. Мы покупа́ем проду́кты ка́ждый четве́рг. ______________________
4. — Ты чита́л сего́дня газе́ту?

   — Нет, не чита́л. ______________________
5. Текст был о́чень тру́дный.

   Вчера́ мы его́ о́чень до́лго переводи́ли. ______________________
6. — Ты ча́сто игра́ешь на гита́ре? ______________________

   — Нет, ре́дко. Но в шко́ле я ча́сто игра́ла. ______________________

4. Using the dative case

Rewrite the following sentences replacing the underlined nouns with the corresponding personal pronouns. (Refer to Analysis Unit VI, 11.)

> Са́ша ча́сто звони́т Ле́не. ➔
> Са́ша ча́сто звони́т ей.

Name ________________________________

1. Ке́вин хо́чет написа́ть сестре́ о популя́рных ру́сских переда́чах.

____

2. Сестра́ иногда́ звони́т Ке́вину.

____

3. Ке́вин пи́шет сестре́ и бра́ту пи́сьма.

____

4. Э́та де́вушка помога́ет Ми́ше и Серге́ю переводи́ть докуме́нты.

____

5. Де́душка купи́л тебе́ и Ле́не телеви́зор.

____

6. Ми́ша прочита́л Та́не и мне статью́.

____

Name ____________________

UNIT 6 DAY 4

Listening

1. Talking about yourself

Listen to the following questions, write down your answers.

1. ____________________
2. ____________________
3. ____________________
4. ____________________
5. ____________________
6. ____________________
7. ____________________
8. ____________________

Writing

2. Recognizing cases

Read the sentences and mark the cases of the underlined words. (Refer to Appendix I at the end of the Textbook.) Pay attention to the endings and the functions of the words in the sentences.

1. Мой брат ча́сто чита́ет нам смешны́е исто́рии о ко́шках и соба́ках.
2. Са́ша помога́л Лене переводи́ть статью́ о кни́ге францу́зского писа́теля.
3. Да́ше нра́вится курс геогра́фии Аме́рики.
4. Та́ня и Ми́ша бы́ли на вы́ставке ру́сского худо́жника девятна́дцатого ве́ка.
5. Мы хоти́м купи́ть цветы́ твое́й ба́бушке.
6. Э́тот челове́к написа́л кни́гу о рабо́те америка́нского био́лога в Росси́и.

3. Imperfective /perfective verbs.

Locate the aspectual pairs in the list below and place them in the correct columns, as indicated.

спра́шивать (спра́шив**ай**-); говори́ть (говор**и́**-); позвони́ть (позвон**и́**-);

написа́ть (напис**а**-); спроси́ть (спрос**и**-); звони́ть (звон**и́**-); писа́ть (пис**а**-);

купи́ть (куп**и**-); прочита́ть (прочит**а́й**-); уви́деть (уви́д**е**-); чита́ть (чит**а́й**-);

ви́деть (ви́д**е**-); покупа́ть (покуп**а́й**-); сказа́ть (сказ**а**-).

	Imperfective	Perfective	Translation
1.	________________	________________	________________
2.	________________	________________	________________
3.	________________	________________	________________
4.	________________	________________	________________
5.	________________	________________	________________
6.	________________	________________	________________
7.	________________	________________	________________

4. Imperfective / perfective aspect

Complete the sentences using the verbs in brackets in the correct form. (Refer to Analysis Unit VI, 1, 2.)

1. — Что ты де́лал(а) вчера́ ве́чером?

— Я ______________________________ (слу́ш**ай**-/послу́ш**ай**-) му́зыку.

2. Э́ти роди́тели ____________________________ (покуп**а́й**-/куп**и**-) де́тям игру́шки ка́ждый ме́сяц.

3. В воскресе́нье была́ хоро́шая пого́да. Мы до́лго ______________ (гул**я́й**-/погул**я́й**-) в па́рке.

Name ______________________________

4. — Ты ______________________ (писа-/написа-) статью́?

— Я до́лго ______________________ (писа-/написа-) её вчера́, но не

______________________ (писа-/ написа-).

5. У́тром я всегда́ ______________________ (чита́й-/ прочита́й-) газе́ту.

6. — Что ты сейча́с де́лаешь? Хо́чешь посмотре́ть кино́?

— Нет, извини́, я сейча́с ______________ (гото́ви-/пригото́ви-) обе́д.

5. Using the dative case

Complete the sentences using the words in brackets in the correct form. (Refer to Analysis Unit VI, 9, 10.)

1. ______________________ нра́вится отдыха́ть во Флори́де, а

______________________ нра́вится отдыха́ть в Се́верной Кароли́не,

(моя́ сестра́/ мои́ бра́тья)

2. — ______________________ нра́вится но́вая шко́ла?(ва́ша до́чка)

— Да, она́ ей о́чень нра́вится.

— А ______________________ она́ нра́вится? (ваш сын)

— Да, о́чень.

3. — ______________________ нра́вится наш го́род?

(твои́ неме́цкие друзья́)

— Да, нра́вится. Они́ говоря́т, что здесь о́чень интере́сно.

4. — Ты лю́бишь чёрный цвет?

— Нет. Он о́чень нра́вится ______________________ (моя́ подру́га).

5. — Кому́ вы купи́ли э́ти цветы́?

— ____

(на́ша люби́мая преподава́тельница).

6. Иногда́ я покупа́ю колбасу́ ______________________ (на́ши

соба́ки) в э́том магази́не.

Name ______________________________

UNIT 6 DAY 5

Listening

1. Future Imperfective

A. Listen to the following short conversations and fill the missing words in the blanks. (Refer to Analysis Unit VI, 2–4.)

1. — Что ты ______________________ сего́дня ве́чером?

— Я ______________________ упражне́ния. А ты?

— А я ______________________.

2. — Ты за́втра ______________________ у́жин?

— Нет, я куплю́ пи́ццу на у́жин.

3. — Где вы ______________________ ле́том ?

— Мари́на ____________ на ю́ге, а я ____________ до́ма.

— Я ______________________ кни́гу.

4. — Де́ти ______________________ сейча́с?

— Нет, ______________________. Они́ ещё не голо́дные.

5. — Что вы ______________________ по́сле ле́кции?

— Мы ____________ в библиоте́ке и ____________ письмо́.

B. Future Perfective. Listen to the following conversations and mark the intonational centers you hear in each line. Listen and repeat.

1. — Вы ку́пите мне э́ту ка́рту?

— Ку́пим, но не сейча́с.

2. — Что ты напи́шешь ма́ме?

— Я напишу́, что я живу́ хорошо́.

3. — Вы ска́жете мне, где ва́ша сестра́?

— Нет, не ска́жем.

4. — Он пригото́вит нам обе́д?

— Коне́чно, пригото́вит. А у́жин?

— Мы поу́жинаем в рестора́не.

5. — Они́ переведу́т нам э́ту статью́ сего́дня?

— Они́ сказа́ли, что переведу́т.

Writing

2. Verb conjugation

Conjugate the following verbs. (Refer to Analysis Unit VI, 7.)

x
переводи́ть (перевод**и**-) "translate" (imperf.)

Present Tense

я ______________________

ты ______________________

он, она́ ______________________

мы ______________________

вы ______________________

они́ ______________________

Past Tense

он ______________________

она́ ______________________

они́ ______________________

Infinitive

____

перевести́ (перевёд-́) "translate" (perf.)

Future Tense

я ______________________

ты ______________________

он, она́ ______________________

мы ______________________

вы ______________________

они́ ______________________

Past Tense

он ______________________

она́ ______________________

они́ ______________________

Infinitive

____

Name ________________________________

3. Verb practice

Complete the sentences below, supplying the verbs in the correct form. (Refer to Analysis Unit VI, 16, 17.)

пить

1. Моя́ ко́шка не _______ молоко́.
2. Вы _______ ко́фе?
3. У́тром мы обы́чно _______ сок и́ли во́ду.
4. Вчера́ ве́чером Та́ня и Ми́ша _______ ко́фе и говори́ли о му́зыке.
5. Ра́ньше на́ша ба́бушка _______ чай, а сейча́с не _______.
6. Я зна́ю, что Са́ша и Ле́на лю́бят _______ ко́фе в ма́леньких кафе́.
7. Я о́чень ре́дко _______ ко́ка-ко́лу.

есть

1. Твоя́ подру́га _______ ры́бу?
2. Мы ка́ждый ве́чер _______ мя́со! Э́то ужа́сно!
3. Мои́ бра́тья ре́дко _______ суп.
4. Ты ча́сто _______ моро́женое?
5. Ра́ньше Ри́та _______ зелёный сала́т ка́ждый день, а сейча́с она́ _______ его́ ре́дко.
6. Я _______ хлеб то́лько у́тром.

4. Future perfective

Provide positive answers to the following questions. (Refer to Analysis Unit VI, 3.) Note to drop the pronoun in your answers.

— Вы позвони́те моей ма́ме?
— Да, позвоню́.

1. — Ди́ма нарису́ет мне мо́ре?

   — ____.

2. — Ты напи́шешь нам?

   — ____.

3. — Вы ку́пите проду́кты?

   — ____.

4. — Они́ прочита́ют мой расска́з?

   — ____.

5. — Ты съешь ещё одно́ моро́женое?

   — ____.

6. — Мы напи́шем ещё одно́ упражне́ние?

   — ____.

Name ______________________________

Listening

1. Dictation

Write down the dictated sentences, marking stress and ICs. You will hear each exchange three times.

1. ____

____

2. ____

____

3. ____

____

Writing

2. Verb conjugation

Conjugate the following verbs.

съесть

Future Tense	Past Tense
я съем	он ____________
ты съешь	она́ ____________
он, она́ ____________	оно́ ____________
мы ____________	они́ ____________
вы ____________	Infinitive
они́ ____________	____________

выпить

Future Tense

я выпью

ты выпьешь

он, она́ ____________________

мы ____________________

вы ____________________

они́ ____________________

Past Tense

он ____________________

она́ ____________________

оно́ ____________________

они́ ____________________

Infinitive

____

3. Что едя́т и пьют америка́нские студе́нты?

Write down the answers to the following questions.

1. Что вы еди́те ка́ждый день? ____________________

   Что вы обы́чно еди́те ве́чером? ____________________

   Что вы ре́дко еди́те? ____________________

   Что вы не еди́те? ____________________

2. Что вы ча́сто пьёте? ____________________

   Что вы обы́чно пьёте у́тром? ____________________

   Что вы ре́дко пьёте? ____________________

   Что вы не пьёте? ____________________

4. Verb practice: нра́виться

Fill in the blanks with the correct form of **нра́виться**. Keep in mind that the verb agrees with the grammatical subject (i.e. what is liked) which is in nominative case. (Refer to Analysis Unit VI, 14.)

1. — Мне ____________________ э́тот шарф.

   — А мне ____________________ те брю́ки.

2. — Тебе́ ____________________ те зелёные шо́рты?

   — Нет, не ____________________.

Name ______________________________

3. — Мне о́чень ____________________ э́тот костю́м.

А моє́й ма́ме он не ____________________.

4. — Мне ____________________ э́ти чёрные ту́фли.

— А мне ____________________ то чёрное пла́тье.

5. — Мне не ____________________ э́ти кра́сные кроссо́вки.

— И мне они́ не ____________________.

5. Discussing the likes and dislikes

Your friends have just moved to a new place. Ask their children…

— if they like their new house.

____

— if they like their new school.

____

— if they like their new teachers.

____

— if they like their new town.

____

— if the dog likes to take walks in the new park.

____

Name ______________________________

Listening

1. Translation

You and your friend Bill Sheridan are out with the new Russian exchange student, Larisa. Bill is very eager to meet her, but he can't speak a word of Russian. Help him out and translate each sentence into Russian as you hear it. **Mark stress.**

1. ______________________________
2. ______________________________
3. ______________________________
4. ______________________________
5. ______________________________
6. ______________________________
7. ______________________________
8. ______________________________

Writing

2. Verb conjugation

сказа́ть (сказ**а**-) x

Future Tense	Past Tense
я ______________	он ______________
ты ______________	она́ ______________
он, она́ ______________	они́ ______________
мы ______________	
вы ______________	Infinitive
они́ ______________	______________

x

написа́ть (написа-)

Future Tense	Past Tense
я ______	он ______
ты ______	она́ ______
он, она́ ______	они́ ______
мы ______	
вы ______	Infinitive
они́ ______	______

3. Talking about your future plans.

Write about what you and your friends are going to do next week.

В понеде́льник мы бу́дем смотре́ть кино́.

Во вто́рник ______.

______.

______.

______.

______.

______.

Reference words: у́жинать в рестора́не, танцева́ть на дискоте́ке, рабо́тать (где?), гото́вить обе́д, отдыха́ть до́ма, реша́ть зада́чи, переводи́ть статью́, писа́ть упражне́ния, слу́шать му́зыку, писа́ть курсову́ю рабо́ту, чита́ть (что?).

4. Talking about your likes and dislikes

Write a short paragraph about what you like to do and what you don't like to do, what courses at the university you like or don't like so much, your favorite foods and the foods you don't like, favorite music, actors, artists, etc.

______

______

Name ______________________________

____

____

____

____

____

Name ____________________

Listening

1. Cardinal Numerals

Fill out the chart below as you hear the information about the population in different countries. (Refer to Appendix IV at the end of the Textbook.)

Стра́ны	Persons per sq. mi. (2008)
Австра́лия	
А́встрия	
Герма́ния	
Изра́иль	
Ита́лия	
Ирла́ндия	
Казахста́н	
Лихтенште́йн	
Росси́я	
США	
Финля́ндия	
Фра́нция	
Япо́ния	

Writing

2. Verb conjugation

покупа́ть (покуп**а́й**-)

Future Tense

я ____________________

ты ____________________

он, она́ ____________________

мы ____________________

вы ____________________

они́ ____________________

Past Tense

он ____________________

она́ ____________________

они́ ____________________

Infinitive

____

x
купи́ть(куп**и**-)

Future Tense	Past Tense
я ______	он ______
ты ______	она́ ______
он, она́ ______	они́ ______
мы ______	
вы ______	Infinitive
они́ ______	______

3. Imperfective /Perfective Verbs

Translate the following verbs into Russian. Write both the imperfective and perfective forms of the verb (**infinitives and stems**).

1. look ______
2. write ______
3. drink ______
4. translate ______
5. eat ______
6. do ______
7. speak ______
8. read ______

4. Imperfective / perfective aspect

Fill in the blanks with the correct form of the verb.

1. — Вы уже́ ______ (пис**а**-/напис**а**-) статью́?

   — Ещё нет.

   — А когда́ вы её ______ (пис**а**- /напис**а**-)?

   — В сре́ду.

Name ______________________________

2. — Ты ________________ (перевод**и**-/ перевёд**-́**) вчера́ расска́з?

— Да, ________________ (перевод**и**-/ перевёд**-́**) Вот он.

3. — Что ты сейча́с де́лаешь?

— Я ________________ (есть/ съесть) суп.

4. Вчера́ я до́лго ________________ (чит**а́й**-/ прочит**а́й**-) в библиоте́ке.

5. Ве́ра ________________ (покуп**а́й**-/ куп**и**-) э́той же́нщине проду́кты ка́ждую пя́тницу.

5. Translation

On Sunday Та́ня, Ми́ша and Ке́вин had lunch at **Изма́йлово**. Translate Та́ня's description of what they did.

Yesterday we were at a shopping center. Ми́ша bought me a very beautiful scarf. We saw Ке́вин there. He was buying postcards and souvenirs. I introduced Ке́вин to Ми́ша. I was very nervous (волнова́лась) — Ми́ша is very jealous sometimes. But now I think Ке́вин likes Ми́ша and Ми́ша likes Ке́вин. We had lunch at an inexpensive café . Ми́ша told Ке́вин about the veterinary center. Ке́вин told us about (his) sister. She is the director of a big American company. Ке́вин is going to give his sister a call; maybe she will help Ми́ша. Isn't that great?

____

____

____

____

____

____

____

____

____

____

____

____

APPENDIX I

Summary Tables of Noun Endings

Singular	First Declension					Second Declension	
	Masc.Inanimate/Masc.Animate			Neuter		Feminine	
Nom.	теáтр	словáрь	мáльчик	окнó	мóре	газéта	кýхня
Acc.	теáтр	словáрь	мáльчика	окнó	мóре	газéту	кýхню
Gen.	теáтра	словаря́	мáльчика	окнá	мóря	газéты	кýхни
Prep.	теáтре	словарé	мáльчике	окнé	мóре	газéте	кýхне
Dat.	теáтру	словарю́	мáльчику	окнý	мóрю	газéте	кýхне
Instr.	*теáтром*	*словарём*	*мáльчиком*	*окнóм*	*мóрем*	*газéтой*	*кýхней*

Plural	First Declension					Second Declension	
	Masc.Inanimate/Masc.Animate			Neuter		Feminine	
Nom.	теáтры	словари́	мáльчики	óкна	моря́	газéты	кýхни
Acc.	теáтры	словари́	*мáльчиков*	óкна	моря́	газéты	кýхни
Gen.	*теáтров*	*словарéй*	*мáльчиков*	*óкон*	*морéй*	*газéт*	*кýхонь*
Prep.	теáтрах	словаря́х	мáльчиках	óкнах	моря́х	газéтах	кýхнях
Dat.	теáтрам	словаря́м	мáльчикам	óкнам	моря́м	газéтам	кýхням
Instr.	*теáтрами*	словаря́ми	*мáльчиками*	*óкнами*	*моря́ми*	*газéтами*	*кýхнями*

Summary Tables of Pronoun Declension

Personal Pronouns

Nom.	я	ты	он/оно́	она́	мы	вы	они́
Acc.	меня́	тебя́	его́	её	нас	вас	их
Gen.	меня́	тебя́	его́	её	нас	вас	их
Prep.	обо мне	о тебе́	о нём	о ней	о нас	о вас	о них
Dat.	мне	тебе́	ему́	ей	нам	вам	им
Instr.	*мной*	*тобо́й*	*им*	*ей*	*на́ми*	*ва́ми*	*и́ми*

Interrogative Pronouns

Nom.	кто	что
Acc.	кого́	что
Gen.	кого́	чего́
Prep.	о ком	о чём
Dat.	кому́	чему́
Instr.	*кем*	*чем*

Demonstrative and Possessive Pronouns

Masculine and Neuter Singular

Nom.	э́тот	э́то	наш	на́ше	мой	моё	чей	чьё	весь	всё	тот	то
Acc. inan.	э́тот	э́то	наш	на́ше	мой	моё	чей	чьё	весь	всё	тот	то
anim.	э́того		на́шего		моего́		чьего́		всего́		того́	
Gen.	э́того		на́шего		моего́		чьего́		всего́		того́	
Prep.	э́том		на́шем		моём		чьём		всём		том	
Dat.	э́тому		на́шему		моему́		чьему́		всему́		тому́	
Instr.	*э́тим*		*на́шим*		*мои́м*		*чьим*		*всем*		*тем*	

Feminine Singular						
Nom.	э́та	на́ша	моя́	чья	вся	та
Acc.	э́ту	на́шу	мою́	чью	всю	ту
Gen.	э́той	на́шей	мое́й	чьей	всей	той
Prep.	э́той	на́шей	мое́й	чьей	всей	той
Dat.	э́той	на́шей	мое́й	чьей	всей	той
Instr.	*э́той*	*на́шей*	*мое́й*	*чьей*	*всей*	*той*

Plural						
Nom.	э́ти	на́ши	мои́	чьи	все	те
Acc.	э́ти/*э́тих*	на́ши/*на́ших*	мои́/*мои́х*	чьи/*чьих*	все/*всех*	те/*тех*
Gen.	*э́тих*	*на́ших*	*мои́х*	*чьих*	*всех*	*тех*
Prep.	э́тих	на́ших	мои́х	чьих	всех	тех
Dat.	э́тим	на́шим	мои́м	чьим	всем	тем
Instr.	*э́тими*	*на́шими*	*мои́ми*	*чьи́ми*	*всéми*	*тéми*

Summary of Adjective Endings

	Stem-Stressed			Ending-Stressed		
	Masculine/ Neuter	***Feminine***	***Plural***	***Masculine/ Neuter***	***Feminine***	***Plural***
Nom.	но́вый но́вое	но́вая	но́вые	молодо́й молодо́е	молода́я	молоды́е
Acc. inan.	но́вый но́вое	но́вую	но́вые	молодо́й молодо́е	молоду́ю	молоды́е
anim.	но́вого		*но́вых*	молодо́го		*молоды́х*
Gen.	но́вого	но́вой	*но́вых*	молодо́го	молодо́й	*молоды́х*
Prep.	но́вом	но́вой	но́вых	молодо́м	молодо́й	молоды́х
Dat.	но́вому	но́вой	но́вым	молодо́му	молодо́й	молоды́м
Instr.	*но́вым*	*но́вой*	*но́выми*	*молоды́м*	*молодо́й*	*молоды́ми*

APPENDIX II

На Nouns	
на ю́ге	на заня́тии
на се́вере	на ку́рсе
на за́паде	на ле́кции
на восто́ке	на пра́ктике
на Байка́ле	на репети́ции
на Во́лге	на семина́ре
на Неве́	на собра́нии
на Кавка́зе	на факульте́те
на Ура́ле	
на да́че	на бале́те
на ку́хне	на вы́ставке
на по́чте	на дискоте́ке
на рабо́те	на конце́рте
на у́лице	на спекта́кле

APPENDIX III

Stress Patterns in Russian Nouns

Shifting stress in inflections (i.e. declensions, conjugations, etc.) is a characteristic feature of Russian. Most Russian words (about 96 percent of the Russian vocabulary) have fixed stress. However, there are many words with shifting stress, i.e. words in whose declension, conjugation, changing for the degrees of comparison, etc. the stress shifts from the stem to the ending or vice versa.

Nouns have eight shifting stress patterns in their declensional paradigm. Two of these patterns apply only to a few words.

The main types of shifting stress patterns in the noun declensional paradigm reflect the accentual opposition between the singular and the plural: fixed stress on the stem (A) in the singular vs. fixed stress on the ending (B) in the plural: **мóре** "sea" – **моря́** "seas" (this pattern covers only masculine and neuter nouns); fixed stress on the ending (B) in the singular vs. fixed stress on the stem (A) in the plural: **письмó** "letter" – **пи́сьма** "letters", **окнó** "window" - **óкна** "windows" (this pattern covers masculine, feminine and neuter nouns).

Shifting stress (C) in the singular is not typical of nouns: there are only 31 feminine nouns belonging to this pattern. The pattern represents an opposition between the accusative and the other cases: the stress on the stem in the accusative vs. the stress on the ending in all the other forms: **рукá** "hand and/or arm"), **руки́, рукé, ру́ку, рукóй, о рукé**. Shifting stress in the plural (C) reflects the opposition between the nominative (and the accusative of inanimate nouns), which has stem stress, and the oblique cases, which have end stress: **гóры** "mountains", **гор, горáми, о горáх.**

Stress in Russian serves to differentiate between the forms of a word, e.g. **гóрода** "of a city" – **городá** "cities", **мóря** "of the sea" – **моря́** "seas", **письмá** "of a letter" – **пи́сьма** "letters", **руки́** "of the hand and/or the arm" – **ру́ки** "hands and/or arms". There are several hundred nouns whose genitive singular and nominative plural are distinguished only by stress.

As a rule, shifting stress occurs in unsuffixed, commonly used words with a monosyllabic or disyllabic stem. Rarely used suffixed words, recently borrowed suffixed words, and suffixed words with polysyllabic stems generally have fixed stress.

There are six basic shifting stress declensional patterns: AB, BA, AC, BC, CA, and CC. A two-place symbol will be used to designate each type of stress pattern: the first place refers to the singular; the second place to the plural. Within each place:

> **A** indicates stress fixed on the stem[1].
> **B** indicates stress fixed on the ending.

---

[1] Stem stress in the plural that is opposed to ending stress in the singular (i.e. types BA and CA) always falls on the final stem syllable, not counting the inserted vowel of the genitive plural. Thus: высотá — высóты, меньшинствó — меньши́нства; письмó — пи́сьма — пи́сем, ремеслó — ремёсла — ремёсел.

C indicates the one possible shift of stress in the singular or plural:
singular – stress is shifted to the root (initial syllable) in the *feminine accusative only*.

plural - stress is shifted to the root (initial syllable) in the *nominative* (and the *accusative* if the latter is identical with the nominative) *only*.

In all other forms stress remains fixed on the post-root syllable.

Thus, there are logically nine possible types, of which eight actually exist in Russian:

	AA	AB	AC
Nom.	кни́га	сад	гость
Acc.	кни́гу	сад	го́стя
Gen.	кни́ги	са́да	го́стя
Prep.	кни́ге	са́де	го́сте
Dat.	кни́ге	са́ду	го́стю
Instr.	кни́гой	са́дом	го́стем
Nom.	кни́ги	сады́	го́сти
Acc.	кни́ги	сады́	госте́й
Gen.	книг	садо́в	госте́й
Prep.	кни́гах	сада́х	гостя́х
Dat.	кни́гам	сада́м	гостя́м
Instr.	кни́гами	сада́ми	гостя́ми

	BA	BB	BC
Nom.	жена́	язык	губа
Acc.	жену́	язык	губу́
Gen.	жены́	языка́	губы́
Prep.	жене́	языке́	губе́
Dat.	жене́	языку́	губе́
Instr.	жено́й	языко́м	губо́й
Nom.	жёны	языки́	гу́бы
Acc.	жён	языки́	гу́бы
Gen.	жён	языко́в	губ
Prep.	жёнах	языка́х	губа́х
Dat.	жёнам	языка́м	губа́м
Instr.	жёнами	языка́ми	губа́ми

	CA	CB	CC
Nom.	зима́	No nouns of this	рука́
Acc.	зи́му	stress type are	ру́ку
Gen.	зимы́	attested in Russian.	руки́
Prep.	зиме́		руке́
Dat.	зиме́		руке́
Instr.	зимо́й		руко́й
Nom.	зи́мы		ру́ки
Acc.	зи́мы		ру́ки
Gen.	зим		рук
Prep.	зи́мах		рука́х
Dat.	зи́мам		рука́м
Instr.	зи́мами		рука́ми

Pattern AB

а́дрес(-а́)	ме́сто(-а́)	сло́во(-а́)
го́род(-а́)	мо́ре(-я́)	суп
де́ло(-а́)	мост	сын (*nom. pl.* сыновья́)
дире́ктор(-а́)	муж (*nom. pl.* мужья́)	сыр
до́ктор(-а́)	но́мер(-а́)	учи́тель(-я́)
дом(-а́)	профе́ссор(-а́)	хлеб(-а́)
друг (*nom. pl.* друзья́)	ряд	цвет(-а́)
и́мя (*nom. pl.* имена́)	сад	час

Pattern BA

вино́	окно́	семья́
жена́	письмо́	сестра́ (*gen. pl.* сестёр)
		страна́

Pattern AC

год (and AB)	дере́вня	о́вощи *pl.*
гость	но́вость *f.*	соль *f.*

Pattern BB

врач	рубль
дека́брь	сентя́брь
день	слова́рь
звоно́к (*gen. sing.* звонка́)	статья́
каранда́ш	стол
нож	февра́ль
ноя́брь	четве́рг
октя́брь	эта́ж
певе́ц (*gen. sing.* певца́)	язы́к
плащ	янва́рь
продаве́ц (*gen. sing.* продавца́)	

Pattern CA	Pattern CC
вода́	голова́
	доска́
	среда́

APPENDIX IV

Numerals

1. Cardinal Numerals

1	оди́н, одна́, одно́	18	восемна́дцать	80	во́семьдесят
2	два, две	19	девятна́дцать	90	девяно́сто
3	три	20	два́дцать	100	сто
4	четы́ре	21	два́дцать оди́н	200	две́сти
5	пять	22	два́дцать два	300	три́ста
6	шесть	23	два́дцать три	400	четы́реста
7	семь	24	два́дцать четы́ре	500	пятьсо́т
8	во́семь	25	два́дцать пять	600	шестьсо́т
9	де́вять	26	два́дцать шесть	700	семьсо́т
10	де́сять	27	два́дцать семь	800	восемьсо́т
11	оди́ннадцать	28	два́дцать во́семь	900	девятьсо́т
12	двена́дцать	29	два́дцать де́вять	1000	ты́сяча
13	трина́дцать	30	три́дцать	2000	две ты́сячи
14	четы́рнадцать	40	со́рок	3000	три ты́сячи
15	пятна́дцать	50	пятьдеся́т	4000	четы́ре ты́сячи
16	шестна́дцать	60	шестьдеся́т	5000	пять ты́сяч
17	семна́дцать	70	се́мьдесят		

a. Spelling rule: Numerals up to 40 have **ь** at the end; those after 40 have **ь** in the middle of the word: пятна́дцать – пятьдеся́т, пятьсо́т, семна́дцать – се́мьдесят, семьсо́т.

b. 21, 32, 43, etc. are formed by adding the digit to the ten: два́дцать оди́н (одна́, одно́), три́дцать два (две), со́рок три, etc.

c. **Ты́сяча** "thousand" is a regular feminine noun; further thousands are regular too: две ты́сячи, три ты́сячи, пять ты́сяч, со́рок ты́сяч.

d. **Миллио́н** "million" and **миллиа́рд** (or **биллио́н**) "thousand million" are regular masculine nouns and decline accordingly: два миллио́на, пять миллио́нов; три миллиа́рда, девяно́сто миллиа́рдов.

e. Remember that in writing numerals, a comma is used in Russian where a decimal point is used in English. Thus, 32,5 means "thirty-two and a half" in Russian. Thousands are marked off either by a period or by a space. For example: 6.229.315 or 6 229 315 (cf. the English 6, 229, 315).

2. Ordinal Numerals

1	пе́рвый	14	четы́рнадцатый	90	девяно́стый
2	второ́й	15	пятна́дцатый	100	со́тый
3	тре́тий	16	шестна́дцатый	200	двухсо́тый
4	четвёртый	17	семна́дцатый	300	трёхсо́тый
5	пя́тый	18	восемна́дцатый	400	четырёхсо́тый
6	шесто́й	19	девятна́дцатый	500	пятисо́тый
7	седьмо́й	20	двадца́тый	600	шестисо́тый
8	восьмо́й	30	тридца́тый	700	семисо́тый
9	девя́тый	40	сороково́й	800	восьмисо́тый
10	деся́тый	50	пятидеся́тый	900	девятисо́тый
11	оди́ннадцатый	60	шестидеся́тый	1000	ты́сячный
12	двена́дцатый	70	семидеся́тый		
13	трина́дцатый	80	восьмидеся́тый		

a. The Russian ordinal numerals corresponding to 21st, 32nd, 43rd, etc, are composed of the *cardinal* representing the ten and the *ordinal* representing the digit: два́дцать пе́рвый (-ое, -ая, -ые), три́дцать второ́й, со́рок тре́тий; семь ты́сяч семьсо́т седьмо́й, etc.

b. The Russian 2000th, 3000th, etc. are formed on the pattern of the hundreds: двухты́сячный, трёхты́сячный, пятиты́сячный, шеститы́сячный, etc.

APPENDIX V

New Independent States (NIS)[1]

COUNTRY				
Азербайджа́н	Azerbaijan	азербайджа́нец	азербайджа́нка	азербайджа́нский
Арме́ния	Armenia	армяни́н	армя́нка	армя́нский
Белору́сь	Belarus	белору́с	белору́ска	белору́сский
Гру́зия	Georgia	грузи́н	грузи́нка	грузи́нский
Казахста́н	Kazakhstan	каза́х	каза́шка	каза́хский
Киргизста́н	Kyrgyzstan	кирги́з	кирги́зка	кирги́зский
Молда́вия	Moldova	молдава́нин	молдава́нка	молда́вский
Таджикиста́н	Tajikistan	таджи́к	таджи́чка	таджи́кский
Туркмениста́н	Turkmenistan	туркме́н	туркме́нка	туркме́нский
Узбекиста́н	Uzbekistan	узбе́к	узбе́чка	узбе́кский
Украи́на	Ukraine	украи́нец	украи́нка	украи́нский

Some of the Larger Republics within the Russian Federation[2]

REPUBLIC				
Башкортоста́н	Bashkortostan	башки́р	башки́рка	башки́рский
Буря́тия	Buryatia	буря́т	буря́тка	буря́тский
Саха́ (Яку́тия)	Sakha (Yakutia)	яку́т	яку́тка	яку́тский
Татарста́н	Tatarstan	тата́рин	тата́рка	тата́рский
Тува́	Tuva	туви́нец	туви́нка	туви́нский
Чува́шия	Chuvash Republic	чува́ш	чува́шка	чува́шский

[1] The New Independent States (NIS) is a Western designation for Russia and 11 other former Soviet republics (excluding the Baltic States). While Russian is not the official state language of most of the new nations, it continues to serve as an official language of communication within and among these states. For example, when Belarus and Uzbek officials or business people communicate with one another, they are very likely to use Russian for that purpose.

[2] Russia (also officially known as the Russian Federation) consists of Moscow, St. Petersburg, and 86 regions (oblasts), some of which have the status of republics within the Russian Federation. The above examples reflect some of the most well-known republics and the words used to refer to members of the ethnic groups after which they are named. As a rule, these republics include several ethnic groups (including Russians); the titular group often represents only a minority within the given republic.

ANSWER KEY

INTRODUCTION DAY 2

Listening

1. Recognizing voiced/voiceless consonants

1. бар - пар
2. вон - фон
3. год - кот
4. дом - том
5. зуп - суп
6. док- ток
7. дом - том
8. жар - шар
9. доска́ - тоска́
10. до́чка - то́чка

INTRODUCTION DAY 3

3. Recognizing soft consonants

1. стадио́н
2. магази́н
3. теа́тр
4. музе́й
5. институ́т
6. такси́
7. гимна́стика
8. гольф
9. студе́нт
10. студе́нтка

UNIT 3 DAY 5

Listening

1. Intonation in enumeration

1. — Где[2] вы жи́ли в Росси́и?

   — В Москве[3], в Петербурге[3] и в Новгороде[1].

2. — Когда[2] вы жи́ли в Москве́?

   — В мае[3], в июне[3] и в июле[1].

3. — Где вы работали[2]?

   — В магазине[3], в кафе[3] и в библиотеке[1].

4. — Когда[2] вы рабо́тали в магази́не?

   — В сентябре[1], октябре[1] и ноябре[1].

5. — Какой[2] са́мый кра́сивый цвет?

   — Чёрный[3], белый[3] и красный[1].

6. — Ну, как[2] твой но́вый друг?

   — Он хороший[3], весёлый[3] и энерги́чный[1].

ANSWER KEY

UNIT 3 DAY 7

Listening

1. Listening comprehension

A.

Меня́ зову́т Гали́на. Я студе́нтка. Я хочу́ рабо́тать на телеви́дении. Ма́ма, па́па и я ра́ньше жи́ли в Му́рманске, а тепе́рь мы живём в Москве́. Ра́ньше мой па́па, Алекса́ндр Миха́йлович, рабо́тал в больни́це, а сейча́с он бизнесме́н. Моя́ ма́ма, Ири́на Влади́мировна, рабо́тает в шко́ле. Она́ о́чень ма́ло отдыха́ет. В ию́ле и в а́вгусте я, ма́ма и на́ша соба́ка Ро́за живём на да́че. Па́па то́же хо́чет жить ле́том на да́че, но он мно́го рабо́тает в Москве́. Я непло́хо чита́ю и говорю́ по-англи́йски. По-мо́ему, са́мый краси́вый язы́к - францу́зский. Я о́чень хочу́ говори́ть по-францу́зски.

UNIT 4 DAY 3

Listening

1. Listening comprehension

A.

О́льга Васи́льевна рабо́тает в ма́леньком америка́нском рестора́не. Она́ официа́нтка. Она́ ча́сто у́жинает в э́том рестора́не, а её муж Майкл Ке́лли всегда́ ужина́ет до́ма. О́льга Васи́льевна и её муж живу́т на второ́м этаже́ в небольшо́м до́ме, в ма́леньком го́роде. Их де́ти, Алекса́ндр и Ви́ктор, - молоды́е энерги́чные лю́ди. Они́ хорошо́ говоря́т по-англи́йски и по-ру́сски. Ви́ктор и Алекса́ндр не хотя́т жить в ма́леньком го́роде. Они́ живу́т в са́мом большо́м америка́нском го́роде, в Нью-Йо́рке. У́тром Ви́ктор в университе́те, а Алекса́ндр на рабо́те. Он рабо́тает в шко́ле. Ве́чером бра́тья в библиоте́ке, на конце́рте, на вы́ставке и́ли на спекта́кле. Ле́том Ви́ктор хо́чет рабо́тать на се́вере, в шта́те Аля́ска.